Les Braises

Sándor Márai

Les Braises

ROMAN

Traduit du hongrois
par Marcelle et Georges Régnier

Albin Michel

« Les Grandes Traductions »

Titre original :
A GYERTYÁK CSONKIG ÉGNEK, 1942

Traduction française :
1ʳᵉ publication : 1958, Buchet/Chastel — Corrêa.

© Éditions Albin Michel S.A., 1995
22, rue Huyghens, 75014 Paris
www.albin-michel.fr

ISBN : 2-226-07628-X
ISSN : 1159-1692

I

A L'AUBE, le vieux général était allé dans la vigne pour s'occuper, avec le vigneron, de deux fûts en fermentation.
Il avait passé la matinée dans le cellier. Le tirage du vin dans la
cave l'avait retenu jusqu'à onze heures, après quoi il était rentré
chez lui. Dans la fraîcheur du vestibule à colonnes, le garde-
chasse attendait son maître pour lui remettre une lettre.

– Que fais-tu là? s'écria le général en s'arrêtant interloqué.

En même temps, il fit glisser sur sa nuque son chapeau de
paille aux larges bords, ce qui mit son visage rougi en pleine
lumière. Depuis des années, il n'avait ouvert ni lu une seule
lettre. A son arrivée, le courrier était remis à l'économat où il
était trié par un intendant.

– Un messager a apporté cette lettre, dit l'homme se tenant au
garde-à-vous.

Le général reconnut alors l'écriture de l'enveloppe. Il prit la
lettre et la mit dans sa poche. Puis il pénétra dans le vestibule
et, sans mot dire, tendit son chapeau et sa canne au garde-
chasse. De son étui à cigares, il tira ses lunettes. Par les fentes
des jalousies, à moitié baissées, il pénétrait assez de lumière
dans la pénombre de la pièce pour déchiffrer la lettre près de la
fenêtre.

– Attends! lança le général par-dessus son épaule au garde qui
s'apprêtait à se retirer pour ranger le chapeau et la canne.

Il froissa la lettre et la remit dans sa poche.

– Dis à Kalman d'atteler à six heures,... le landau, car le temps est à la pluie. Et qu'il mette sa livrée de gala. Toi de même! ajouta-t-il avec une certaine violence, comme contrarié soudain. Et que tout reluise! Mettez-vous immédiatement à nettoyer les harnais et la voiture. Tu ne mettras qu'ensuite ta livrée et tu t'assiéras à côté du cocher. Compris?

– Parfaitement, Excellence! répondit le garde forestier en regardant fixement son maître. A six heures, tout sera prêt.

– A six heures et demie vous vous mettrez en route, ordonna le général et il parut s'absorber dans un calcul mental, tandis que ses lèvres remuaient silencieusement. En ville, vous vous présenterez à l'auberge de l'Aigle Blanc. Là, tu diras seulement que c'est moi qui t'envoie et que la voiture attend monsieur le Capitaine. Répète.

Le garde répéta. Quand il eut terminé, le général leva la main et laissa errer son regard vers la voûte, comme s'il avait encore quelque chose à dire. Mais il n'ajouta rien et monta l'escalier conduisant à l'étage.

Toujours au garde-à-vous, l'homme suivit son maître d'un regard inexpressif, jusqu'à ce que la silhouette trapue, aux larges épaules, eut disparu au tournant de l'escalier, derrière la rampe en pierre sculptée.

Le général entra dans sa chambre, se lava les mains et s'approcha du secrétaire haut et étroit. Sur le tapis vert, maculé de taches d'encre, les porte-plume et l'encrier s'alignaient en ordre militaire. A côté, se trouvait une pile de cahiers strictement rangés, de ces cahiers d'écoliers dont la couverture en toile cirée est quadrillée noir et blanc. Au milieu du bureau, une lampe à l'abat-jour vert veillait sur le bon ordre.

Le général alluma cette lampe car il faisait sombre dans la pièce. Cependant, derrière les jalousies baissées, dans le jardin roussi et flétri, l'été jetait ses dernières lueurs comme un incendiaire qui, dans un accès de rage aveugle, livre tout aux flammes autour de lui, avant de s'éclipser. Le général sortit la lettre de sa poche, la déchiffonna soigneusement et, les lunettes sur le nez, les mains croisées derrière le dos, il relut attentivement les lignes courtes et droites de l'écriture aux caractères anguleux.

Un calendrier dont les chiffres étaient grands comme la main pendait au mur et indiquait : 14 août. Le général rejeta la tête et calcula : 14 août, 2 juillet. Entre ces deux dates, dont l'une si lointaine, que de temps écoulé ! « Quarante et un ans », finit-il par dire à mi-voix. Depuis un certain temps, il parlait souvent seul. « Non, quarante ans », rectifia-t-il, troublé, et il rougit comme un jeune écolier qui, au milieu des difficultés d'un devoir imprévu, ne s'y retrouve plus.

Lorsqu'il pencha davantage la tête en arrière et ferma ses yeux larmoyants de vieillard, son cou rouge se gonfla au-dessus du col de son veston jaune maïs. « Oui, le 2 juillet 1899, c'était bien le jour de cette chasse ! », murmura-t-il. Puis, il se tut et, l'air soucieux, s'accouda sur le secrétaire, exactement comme l'aurait fait un élève qui s'applique. Ses yeux se fixèrent sur les quelques lignes de la lettre. « Quarante et un, dit-il enfin d'une voix enrouée. Quarante et un ans et quarante-trois jours. Oui, c'est exactement cela. »

Il se mit alors à se promener dans la chambre comme si cette constatation lui avait rendu le calme. Au milieu de la pièce se dressait une colonne qui soutenait le plafond voûté. Autrefois, deux pièces se trouvaient là au lieu d'une : une chambre à coucher et un cabinet de toilette. Il y avait de nombreuses années – le général ne comptait plus que par dizaines d'années et n'aimait pas les chiffres précis qui lui rappelaient des choses qu'il valait mieux oublier – il avait donné l'ordre de démolir la paroi entre les deux pièces.

Le château avait été bâti deux siècles auparavant. Un fournisseur des armées l'avait fait construire, lequel livrait de l'avoine à la cavalerie autrichienne et, plus tard, fut fait prince. Le général avait vu le jour dans cette pièce même. Celle du fond, plus sombre, dont les fenêtres donnaient sur le jardin et sur les bâtiments d'administration, était la chambre à coucher de sa mère. L'autre pièce, plus claire et plus sympathique, lui servait de cabi-

net de toilette. Il avait donc fait enlever, dans cette aile du bâtiment, le mur de séparation et les deux pièces avaient formé cette
salle assez mal éclairée. Dix-sept pas de la porte au lit, dix-huit
pas du mur côté jardin jusqu'au balcon. C'était exactement cela ;
il avait bien souvent compté ses pas.

Comme quelqu'un qui finit par s'habituer à l'étendue de son
mal, il vivait dans cette pièce faite à sa mesure. Les années passèrent et jamais on ne le vit se rendre dans l'autre aile du château,
où se suivaient des salons verts, bleus et rouges avec des lustres
dorés. Là-bas, les fenêtres donnaient sur le parc et sur les marronniers dont les branches garnies de fleurs se penchaient, au
printemps, par-dessus les balcons. Devant l'aile sud du château,
les arbres s'alignaient en demi-cercle le long des balustrades en
pierre soutenues par des angelots aux bras dodus.

Quand il sortait, il allait seulement au cellier ou dans la forêt
et chaque matin – même en hiver ou sous la pluie – à l'étang aux
truites. Rentré à la maison, il traversait le vestibule pour rentrer
dans sa chambre, où il prenait tous ses repas.

« Le voilà donc revenu, dit à haute voix le général. Après quarante et un ans et quarante-trois jours. »

Après ces paroles, une grande fatigue sembla l'accabler. Il
chancela, comme s'il venait de se rendre compte combien quarante et un ans et quarante-trois jours étaient un long temps et il
se laissa tomber dans un fauteuil de cuir usé. Sur la petite table à
portée de sa main, se trouvait une clochette en argent qu'il agita.

– Que Nini monte me voir, ordonna-t-il au domestique. Je la
prie de monter, ajouta-t-il poliment.

Il resta assis, avec la clochette à la main, sans faire le moindre
mouvement jusqu'à l'arrivée de Nini.

II

MALGRÉ ses quatre-vingt-onze ans, Nini se présenta promptement. C'est dans cette chambre qu'elle avait assisté à la naissance du général. C'est là qu'elle l'avait bercé et choyé. Elle n'avait alors que seize ans et était fort belle : de petite taille, mais robuste, d'un calme et d'une assurance intérieurs, comme si son corps connaissait un secret, comme si en ses os, en sa chair et en son sang, elle recelait l'énigme du temps et de la vie, un secret indicible, incommunicable.

Nini était la fille du maître de poste de la localité. A seize ans, elle mit un enfant au monde et ne révéla à personne le nom du père. Le maître de poste la chassa de chez lui ; elle entra alors en service au château, ne possédant que la seule robe qu'elle avait sur le dos ainsi que, dans une enveloppe, une boucle des cheveux de son enfant mort. Elle arriva juste pour la naissance du général dont elle devint la nourrice.

Elle vécut ainsi soixante-quinze ans au château sans jamais parler d'elle et toujours souriante. Son nom résonnait dans toutes les pièces. Quand les gens du château prononçaient son nom, on avait l'impression qu'ils voulaient attirer l'attention sur une chose. C'était comme si en disant : Nini, ils avaient dit : « Vous voyez bien qu'il y a autre chose au monde que l'égoïsme, que la passion effrénée, que la vanité. » Se trouvant partout où l'on avait besoin d'elle, elle ne se faisait pas remarquer et parce qu'elle était sans cesse de bonne humeur, personne ne lui demandait comment elle pouvait être heureuse, alors que l'homme de son choix l'avait quittée et que son enfant était mort.

Soixante-quinze années s'étaient ainsi écoulées. Le soleil luisait parfois sur le château et sur la famille. Dans le contentement général, on notait alors que Nini aussi était satisfaite. Puis, la comtesse, la mère du général mourut et Nini, avec une serviette mouillée d'eau vinaigrée, avait lavé le front blanc et froid de la défunte.

Puis, un jour, des hommes rapportèrent sur une civière le père du général. Il avait fait une mauvaise chute de cheval, mais il vécut encore cinq années. Nini l'avait soigné. Elle lui faisait la lecture en français. Mais comme elle ne connaissait pas cette langue, elle épelait les mots lentement et l'impotent les comprenait.

Des années s'écoulèrent ; le général se maria. Quand, après le voyage de noces le jeune couple revint au château, Nini l'attendait devant le portail. Elle baisa la main de la nouvelle châtelaine et lui présenta des roses, toujours le sourire aux lèvres. Le général s'en souvenait de temps à autre. Bien plus tard, vingt ans après, la comtesse mourut et Nini prit soin de la tombe et des robes de la morte.

Nini n'avait ni titre ni rang au château. Tout le monde, cependant, était impressionné par son énergie et ce n'est guère que le général qui se rappelait quelquefois que Nini avait dépassé quatre-vingt-dix ans. Personne d'autre ne semblait le remarquer. Le courage de cette femme emplissait la maison, traversait les gens, les murs, les objets, agissant comme le pouvoir mystérieux qui, dans les théâtres ambulants de marionnettes, actionne Guignol et le Gendarme. Il y avait des moments où les habitants du château sentaient qu'elle soutenait tout et tous.

Après la mort de sa femme, le général s'installa dans la chambre de sa mère, dans l'aile la plus ancienne du château. Il fit fermer la partie plus moderne qu'il avait habitée avec sa femme.

Derrière les portes verrouillées, les salons de couleurs différentes avec leurs tentures de soie élimée, la grande salle de réception avec sa cheminée et sa bibliothèque, les escaliers garnis de bois et de têtes de cerfs, de coqs de bruyère empaillés, la salle à manger d'où la vue s'étendait sur la vallée, le bourg voisin et, dans le lointain, sur les cimes d'un bleu argenté, la chambre à coucher de sa femme et, à côté, sa propre chambre, les boudoirs étaient à l'abandon. Durant les trente-deux années écoulées depuis la mort de la châtelaine, Nini et les domestiques étaient les seuls à entrer dans ces pièces pour en faire le nettoyage tous les deux mois.

– Prends place, Nini, dit le général.

La nourrice s'assit. Au cours des dernières années, elle avait bien vieilli. A quatre-vingt-dix ans passés, on vieillit autrement qu'après la cinquantaine ou la soixantaine : on vieillit sans se sentir offensé. Son visage ridé et rose se faisait vieux à la façon des très vieilles étoffes, des soieries anciennes dans lesquelles l'habileté manuelle et les rêves de toute une famille se trouvent intégrés. L'année précédente, un des yeux de Nini avait été atteint de la cataracte. Cet œil-là était désormais triste et gris. L'autre restait bleu, de ce bleu des lacs de hautes montagnes exposés aux rayons d'un soleil d'été et on aurait dit qu'il souriait. Nini était vêtue d'une jupe et d'un corsage de drap bleu foncé. On avait l'impression que depuis soixante-quinze ans, elle ne s'était pas procuré de robe neuve.

– Conrad a écrit, dit le général en élevant machinalement la lettre. Te rappelles-tu ?

– Oui, répondit-elle. Elle se souvenait de tout.

– Il est en ville, près de chez nous, reprit le général à voix basse, tourné vers la nourrice, comme s'il avait à lui communiquer une nouvelle importante et très confidentielle. Il est descendu à l'Aigle Blanc et ce soir il viendra me voir. Je lui ai envoyé la voiture. Il dînera ici.

– Ici ? Où ? interrogea Nini avec calme et son œil bleu, son œil vivant, souriant, fit le tour de la pièce.

Depuis une vingtaine d'années, le général n'avait reçu personne. Les visiteurs qui arrivaient parfois à l'heure du déjeuner – généralement des personnages officiels de la ville et du comitat[1] ou des chasseurs qui venaient pour une battue – étaient reçus par le régisseur dans le pavillon de chasse, où tout était prévu pour les recevoir, des salles de bain, une cuisine prête à fonctionner et une grande salle à manger pour banquets de chasseurs. En ces occasions, le régisseur s'asseyait à la place du maître de maison et traitait, au nom du général, chasseurs ou personnages officiels. Depuis longtemps, plus personne ne s'en formalisait, parce que tout le monde savait que le maître de maison était invisible. Le curé du village était le seul à avoir accès au château, mais seulement une fois par an, en hiver, lorsqu'il traçait à la craie, sur les poutres des portes, les initiales des rois mages. Non, personne d'autre que le curé du village qui avait aussi à enterrer les habitants du château.

– Dans l'autre aile du château, dit le général, est-ce possible?

– Nous y avons fait le ménage il y a un mois, répondit la nourrice. C'est donc possible.

– Ce soir à huit heures, pourra-t-on être prêt? continua le général nerveusement en se penchant en avant dans son fauteuil. Dans la grande salle à manger? Il est maintenant midi.

– En effet, dit la nourrice. Alors je vais donner immédiatement des instructions. Jusqu'à six heures on aérera, puis on mettra le couvert.

Elle réfléchit un instant, évaluant le temps nécessaire à la multiplicité de ses obligations.

– Oui, conclut-elle tranquillement et avec détermination.

Le général l'observait avec curiosité. Son existence et la sienne s'écoulaient au même rythme lent des très vieilles gens. Ils en savaient davantage l'un sur l'autre que n'en savent mère et fils. La communauté qui liait leurs êtres était plus profonde et plus intime que tous les autres liens.

---

1. La Hongrie, à l'époque, était divisée en départements qui jouissaient d'une grande autonomie et que l'on nommait « comitats ».

Elle l'avait vu à l'instant même de sa naissance, recouvert de ce sang impur dans lequel les hommes viennent au monde. Sans doute cette consonance profonde et intime avait-elle été formée par les soixante-quinze années vécues sous le même toit, avec la même nourriture, peut-être aussi par cette odeur de renfermé dans la maison et par les arbres devant leurs fenêtres ; en un mot, par tout ce qu'ils avaient en commun.

Nul mot ne pouvait exprimer ces rapports. Ils n'étaient pas frère et sœur et il n'y avait pas eu de relations intimes entre eux. Mais il existe d'autres liens et ils en avaient conscience : une sorte de parenté qui est plus forte et plus étroite que celle des jumeaux dans les entrailles de leur mère. La vie avait mélangé leurs jours et leurs nuits et ils connaissaient réciproquement leurs corps et leurs pensées.

La nourrice se décida à lui demander :

— Veux-tu que tout soit disposé comme autrefois ?

— Oui, c'est ce que je voudrais, répondit le général. Il faut que tout soit comme autrefois, exactement comme la dernière fois.

— Bien, acquiesça-t-elle laconiquement.

Elle s'approcha du général, se pencha et baisa sa main tavelée, aux veines saillantes et aux doigts garnis de bagues.

— Promets-moi de ne pas t'énerver, ajouta-t-elle.

— Je te le promets, répondit le général doucement et docilement.

III

JUSQU'À cinq heures, nul signe de vie ne vint de la chambre. A ce moment-là, le général sonna son domestique et réclama un bain froid. Il avait renvoyé son déjeuner et n'avait pris qu'une tasse de thé. Après quoi, il s'était étendu sur un divan, dans la chambre à peine éclairée. Derrière les murs frais, l'été bourdonnait et fermentait. Dans son demi-sommeil, le général percevait le bouillonnement de la lumière torride, le bruissement du vent chaud dans les feuillages flétris et les mille rumeurs du château.

Remis de sa première surprise, il ressentait une grande fatigue. On se prépare parfois, la vie durant, à quelque chose. On commence par être blessé et on veut se venger. Puis, on attend. Le général attendait depuis fort longtemps et ne savait même plus à quel moment l'offense et le désir de vengeance s'étaient transformés en attente. Dans le temps qui s'écoule, rien ne se perd. Mais, petit à petit, tout pâlit, comme ces très vieilles photographies faites sur une plaque métallique. La lumière et le temps effacent leurs traits nets et caractéristiques. Pour reconnaître par la suite le portrait sur la surface devenue floue, il faut le placer sous un certain angle de réflexion. Ainsi pâlissent nos souvenirs avec le temps. Cependant, un jour, la lumière tombe par hasard sous l'angle voulu et nous retrouvons soudain le visage effacé.

Le général conservait, dans son secrétaire, de vieux daguerréotypes, notamment celui de son père. Sur ce portrait, son père était revêtu de l'uniforme de capitaine de la Garde. Ses cheveux

17

étaient bouclés et frisés comme ceux d'une jeune fille. De ses épaules tombaient les plis de sa cape blanche et sa main, garnie de bagues, en retenait le drapé sur sa poitrine. Il tenait la tête penchée sur le côté et c'était l'attitude d'un homme à la fois fier et meurtri. Qui l'avait offensé et comment ? De sa vie, il n'en avait soufflé mot.

Après son retour de Vienne, il s'était adonné à la chasse. Il y allait tous les jours, en toutes saisons. Si le gibier manquait ou si la chasse n'était pas autorisée, les renards et les corbeaux lui servaient de cible. Il était évident qu'il prenait plaisir à tuer et, quotidiennement, il se préparait à cette vengeance. La mère du général avait interdit aux chasseurs l'accès du château ; elle avait proscrit et éloigné d'elle tout ce qui évoquait la chasse : les fusils, les gibecières, les flèches démodées, les têtes d'oiseaux et de chevreuils empaillées ainsi que les bois de cerfs. C'est alors que l'officier de la Garde fit construire le pavillon de chasse.

Là, tout se trouvait réuni : d'épaisses peaux d'ours étendues devant la cheminée et, aux murs, sur des panoplies de drap blanc, encadrées de baguettes brunes, des armes pour la chasse de tous les gibiers : des fusils belges et autrichiens, des couteaux de chasse anglais et des cartouchières russes. Le chenil, la fauconnerie se trouvaient à proximité du pavillon. Le père du général s'était installé au pavillon et les gens du château ne le voyaient qu'aux heures du repas.

Au château, les murs étaient recouverts de tentures de soie aux couleurs claires à la mode : bleu, vert clair ou rose, tentures brodées d'un filet doré et fabriquées dans la région parisienne. C'est la comtesse qui choisissait, chaque année, les tentures et les meubles dans les usines et les magasins français, lorsqu'elle allait voir sa famille dans son pays. Elle ne manquait jamais de faire ces voyages. Elle y avait droit en raison même d'une clause qu'elle avait fait insérer dans son contrat de mariage, quand elle devint la femme de l'officier étranger.

« Peut-être étaient-ce ces voyages, se dit le général, qui en étaient la cause… »

18

Il songeait à la mésentente de ses parents. Son père passait son temps à la chasse et, comme il n'était pas en son pouvoir de détruire ce monde où se trouvaient d'autres gens que lui et des choses si différentes de lui – ces villes étrangères, ce Paris, ces châteaux où langues et mœurs étaient tout autres – il massacrait cerfs, chevreuils et ours.

Oui, c'était sans doute à cause de ces voyages. Le général se leva et s'approcha du poêle ventru, en faïence blanche, qui chauffait naguère la chambre de sa mère. C'était un poêle imposant, un poêle centenaire, qui dispensait la chaleur, comme les gens corpulents et indolents mitigent leur égoïsme par une bonne action facile. Il était évident qu'ici sa mère avait eu toujours froid. Pour elle, ce château dans la forêt, ces pièces voûtées étaient trop sombres ; voilà pourquoi elle avait fait couvrir les murs de soies claires. Et elle avait eu froid, parce que dans la forêt le vent soufflait sans cesse, même en été, et qu'il y flottait une atmosphère pareille à celle qui s'étendait au-dessus des ruisseaux de montagne, lorsque au printemps la neige fondante les enflait et qu'ils charriaient les eaux en crue.

Sa mère avait espéré un miracle. Elle était venue dans ce pays de l'Est européen, parce que sa passion avait été plus forte que sa raison et son jugement. Elle avait fait la connaissance de l'officier de la Garde dans les services diplomatiques. Quelques années avant le milieu du siècle, l'officier avait été attaché à l'ambassade d'Autriche-Hongrie à Paris, en qualité de courrier diplomatique. Un bal les avait réunis et tous deux furent aussitôt sous le charme de leur rencontre. Pendant que l'orchestre jouait, l'officier dit à la jeune aristocrate française : « Dans mon pays, les sentiments sont plus violents, plus décisifs. »

Voilà ce qu'il était arrivé au bal de l'ambassade. Devant les fenêtres, des rideaux de soie blanche descendaient jusqu'à terre. La jeune Française et l'officier se trouvaient dans l'embrasure d'une fenêtre et regardaient les danseurs. Dehors, des flocons de neige tombaient en se balançant. A l'heure prévue, le roi de France fit son entrée. Tout le monde le salua en s'inclinant très

bas. Le roi portait un habit bleu et un gilet blanc. D'un mouvement lent, il porta à ses yeux son face-à-main à manche d'or.
Quand, après leur révérence profonde, ils échangèrent un long
regard, ils savaient déjà que vouloir s'opposer au destin était
inutile et que leur destinée était de vivre ensemble. Pâles et
émus, ils souriaient. Dans le salon voisin la musique continuait.

« Chez vous, où est-ce ? » demanda la jeune fille, le regard
perdu. L'officier lui indiqua son pays natal. La première parole
intime qu'il lui avait dite était le nom de sa patrie.

En automne, environ une année plus tard, ils y partaient.
L'étrangère était assise au fond de la berline, enveloppée de cou-
vertures et de voiles. Leur chemin passait par une région de
hautes montagnes, à travers la Suisse et le Tyrol ; à Vienne, l'empereur et l'impératrice[1] les reçurent en audience. Sa Majesté fut
« gracieuse », comme on dit dans les livres de lecture pour
enfants. « Prenez garde, dit le monarque, dans la forêt, où il vous
mène, vivent aussi des ours. Lui-même est un ours. » Et il sourit
avec bienveillance. Tous sourirent. L'empereur plaisantant avec
la jeune femme de l'officier hongrois de sa Garde signifiait une
faveur insigne. Elle répondit : « Majesté, je le dompterai avec de
la musique, comme Orphée a dompté les bêtes sauvages. » Puis,
ils continuèrent leur voyage par des bois et des champs au-dessus
desquels flottait l'odeur des fruits mûrissants.

Après la frontière[2], villes et montagnes disparurent et la jeune
mariée se mit à pleurer. « Chéri, dit-elle à travers ses larmes, j'ai
le vertige. Tout ceci est sans limites. » La vue de la puszta, le
spectacle de plaine immense étendue là, accablée par le souffle
pesant de l'automne, l'impressionnaient. Durant de longues
heures, la voiture avançait sur de mauvaises pistes qui bordaient
d'interminables champs de maïs, dégarnis par la récolte et semblables aux contrées meurtries qui se meurent après la retraite
des combattants vaincus.

1. Le jeune empereur François-Joseph et l'impératrice Elisabeth.
2. Entre l'empire d'Autriche et le royaume de Hongrie.

Les bras croisés, l'officier de la Garde restait silencieux. Parfois, il réclamait un cheval et trottait quelques heures à côté de la voiture. Il contemplait sa patrie comme s'il la voyait pour la première fois. Ces maisons basses avec leurs jalousies et leurs péristyles à colonnes blanches, ces habitations magyares, précédées d'une vaste cour, il en connaissait tous les détails. Il voyait en imagination leurs pièces fraîches, dans lesquelles chaque meuble lui était familier ainsi que l'odeur qui venait des bahuts. La solitude et la tristesse du paysage touchaient son cœur intensément. C'est avec les yeux de sa femme qu'il voyait cette fois les puits à contrepoids, les terres arides, les bois de bouleaux et, au-dessus de la plaine, les nuages roses dans le crépuscule. La patrie s'ouvrait devant lui et l'officier, le cœur serré, sentait que dans ce paysage s'inscrivait leur destin. Dans la voiture, la jeune femme se taisait. De temps à autre, elle portait son mouchoir à ses yeux. Du haut de sa monture, son mari se penchait alors vers elle et interrogeait du regard le visage baigné de larmes. D'un signe de tête, elle lui faisait comprendre que le voyage devait se poursuivre. Leurs existences maintenant étaient indissolublement liées.

En arrivant, la nouvelle résidence réconforta la jeune femme. Le château était si grand, si bien entouré de montagnes et de forêts qui le séparaient complètement de la plaine, qu'elle s'y sentait comme dans une petite patrie au milieu d'une terre étrangère. Puis chaque mois, un chariot apporta de Paris et de Vienne des meubles, des étoffes, des damas, des gravures et même un clavecin, car elle entendait charmer la nature sauvage avec de la musique.

Lorsqu'ils furent enfin installés au château et commencèrent à pouvoir y vivre, la première neige était tombée et les encerclait, silencieuse et blanche armée à l'assaut des murs. La nuit, au clair de lune, cerfs et chevreuils se risquaient hors de la forêt, s'immobilisaient pour épier de leurs yeux graves, aux reflets métalliques et bleutés, les fenêtres éclairées du château et semblaient écouter la musique qui s'en échappait.

« Les vois-tu ? » demandait en souriant la jeune femme assise devant le piano. En février, le froid fit descendre les loups des montagnes enneigées. Les serviteurs et les gardes forestiers allumèrent dans le parc un énorme feu de fagots et les loups, en hurlant, entourèrent les flammes qui les attiraient et les fascinaient. Armé d'un couteau, l'officier se précipita parmi eux. Sa femme le regardait d'une fenêtre. Sur certains points, ils ne pouvaient pas se comprendre. Cependant, ils s'aimaient.

Le général s'approcha du portrait de sa mère, œuvre d'un peintre viennois, qui avait aussi peint l'impératrice Elisabeth, l'ayant représentée avec sa chevelure tressée lui tombant sur les épaules. Dans un cadre doré, la comtesse portait une grande capeline de paille, ornée de rubans à fleurs roses, comme en portent les Florentines en été. La tête légèrement penchée de côté, son regard, doux et grave, se perdait dans le lointain et semblait dire « A quoi bon ? ». Le visage était noble, le cou sensuel. Le décolleté de la robe vert clair laissait à découvert des épaules et une gorge très blanches. Ses mains et ses avant-bras étaient recouverts de mitaines au crochet. Dans toute son attitude, elle était étrange.

L'officier de la Garde et la comtesse menaient l'un contre l'autre une lutte tacite. La musique et la chasse, les voyages et les réceptions étaient les armes de leur combat. Les soirées qu'ils donnaient illuminaient le château qui en paraissait comme incendié. Les chevaux et les cochers des invités emplissaient les écuries. Dans l'escalier d'honneur, à intervalles de quatre marches, se tenaient des heiduques, raides comme des mannequins de cire, portant des chandeliers d'argent à douze branches. La lumière, la musique, les conversations et les parfums tournoyaient, ondoyaient, dans les salons. Une griserie, une fièvre montaient, créant une atmosphère où l'on sentait le désespoir de ceux qui s'étourdissent avant d'entendre l'arrêt fatal que les trompettes des hérauts annonceront tout à l'heure.

Le général se souvenait fort bien de ces soirées. Parfois, chevaux et cochers, ne trouvant plus de place dans les écuries, restaient dans le parc couvert de neige, autour de feux de bois. Une fois l'empereur lui-même était venu au château, l'empereur qui, dans ce pays, était roi. Il était arrivé dans un carrosse splendide, escorté par des cavaliers aux casques ornés de plumets d'aigrette blanche. Pendant deux jours, il avait chassé dans la forêt. Logé dans l'autre aile du château, dans l'aile ancienne, il avait dormi sur un simple lit de fer. Le soir, il avait invité à danser la maîtresse de maison. En dansant, ils avaient parlé et les yeux de la jeune femme s'étaient remplis de larmes. Le roi avait alors cessé de danser, s'était incliné, lui avait baisé la main et l'avait reconduite dans le salon où se tenait sa suite, formant un demi-cercle. Il l'avait accompagnée jusqu'à son mari et, de nouveau, lui avait baisé la main.

Un jour, bien plus tard, l'officier avait demandé à sa femme : « De quoi avez-vous parlé ? »

Mais la comtesse n'avait pas répondu. Jamais personne ne sut ce que le roi avait dit à l'épouse venue de l'étranger et qui, pendant qu'elle dansait, n'avait pu retenir ses larmes. Dans la région, on en parla longtemps.

IV

L E château était un monde en soi, à la manière de ces grands et fastueux mausolées de pierre dans lesquels tombent en poussière des générations d'hommes et de femmes, enveloppés dans leurs linceuls de soie grise ou de toile noire. Il renfermait aussi le silence qui, tel un fidèle emprisonné à cause de sa profession de foi, dépérit sur de la paille pourrie au fond d'une cave. Il conservait également des souvenirs, ceux des morts. Des souvenirs qui se dissimulaient dans les recoins, comme se cachent les chauves-souris, les rats, les cloportes, dans l'humidité moisie des très vieilles caves. Sur les clenches des portes, on sentait le tressaillement d'une main qui, dans un moment de révolte, s'était refusée jadis à achever son geste. Tous les foyers dans lesquels la passion étreint des hommes, de toute sa force, dégagent une pareille ambiance inquiétante.

Le général continua à contempler le portrait de sa mère. Il en connaissait chaque trait : le mince visage, les yeux qui regardaient devant eux avec une expression de dédain triste et désabusé. Les femmes des siècles passés montaient à l'échafaud avec un tel regard qui exprimait leur mépris de ceux pour lesquels elles devaient mourir et de ceux qui les envoyaient à la mort.

La famille de sa mère possédait un château en Bretagne, aux bords de la mer. Le général devait avoir environ huit ans, lorsqu'en été les siens l'y avaient amené. On voyageait déjà en chemin de fer, fort lentement d'ailleurs. Dans les filets de leur compartiment, se trouvaient rangées les valises recouvertes de housses, marquées des initiales brodées de sa mère. A Paris, il pleuvait. Du fond d'une voiture tapissée de soie bleue, l'enfant regardait à travers les vitres embuées la grande ville qui évoquait, avec ses trottoirs mouillés et luisants, le corps écaillé d'un gros poisson. Il apercevait des toits pointus, de hautes cheminées grises qui émergeaient de la brume crasseuse du ciel, comme pour clamer les secrets de destinées toutes différentes et tout à fait incompréhensibles pour lui. Des femmes marchaient sous la pluie et soulevaient leur jupe d'un côté. Elles riaient et leurs dents brillaient comme si la pluie, la ville, la langue française constituaient des choses amusantes et merveilleuses que toutefois un enfant ne pouvait comprendre.

Malgré son jeune âge, l'enfant, assis dans cette voiture à côté de sa mère, en face de la femme de chambre et de la gouvernante, était grave. Il se rendait compte qu'il avait une tâche à remplir. Tous l'observaient, lui, le petit sauvage qui venait d'un pays lointain, d'une région de forêts où vivaient encore des ours. Il prononçait les mots français avec application et une certaine inquiétude. Il avait conscience qu'il parlait aussi de son père, du château, des chiens, de la forêt et du foyer qu'il avait quittés.

Un portail s'ouvrit et la voiture entra dans une cour spacieuse. Devant le large escalier, des valets de chambre en habit faisaient de profondes révérences. Tout cela lui paraissait assez étrange. Il fut conduit à travers des salles dont l'ordre méticuleux était intimidant. Dans une grande pièce au premier étage, il fut reçu par sa grand-mère française.

Elle avait les yeux gris et un soupçon de moustache. Sa chevelure, naguère rousse mais à présent blanchie et décolorée, comme si le temps avait oublié de la laver, formait un chignon sur le haut de la tête. Elle embrassa l'enfant, puis, de ses mains blanches et osseuses, elle pencha la tête du nouvel arrivé en arrière et l'examina ainsi de son haut. « Tout de même[1] ! » dit-

---

1. En français dans le texte.

elle ensuite à la mère qui se tenait debout près d'elle, anxieuse, comme si son enfant passait un examen et que quelque chose de pénible allait lui être révélé.

Plus tard, on apporta une tisane de fleurs de tilleul. Tout dans cette demeure était imprégné d'une odeur insupportable. L'enfant en avait mal au cœur. Vers minuit, il se mit à sangloter et à vomir. « Amenez-moi Nini ! » cria-t-il d'une voix enrouée. Étendu sur son lit, il était d'une pâleur mortelle.

Le lendemain, il avait une forte fièvre et divaguait. Des médecins solennels vinrent le voir. Ils étaient vêtus de redingotes noires et leur chaîne de montre, en or, était passée par une boutonnière de leur gilet blanc. Quand ils se penchaient sur l'enfant, il s'échappait de leur barbe et de leurs vêtements une odeur pareille à celle des objets de la maison, des cheveux et de toute la personne de la grand-mère française. L'enfant avait l'impression qu'il mourrait si cette odeur devait persister. Vers la fin de la semaine, sa fièvre n'avait pas baissé et son pouls faiblissait. Alors un télégramme appela Nini auprès de lui.

La nourrice mit quatre jours pour arriver à Paris. Le majordome à favoris, que l'on avait dépêché à la gare pour la recevoir, fut incapable de la reconnaître. Elle parvint néanmoins à l'hôtel, portant elle-même son sac de voyage tricoté. Elle était venue à pied, guidée uniquement par quelque instinct, comme les oiseaux migrateurs. Elle ne connaissait pas un mot de français, ni les rues de Paris et ne sut jamais expliquer comment elle avait réussi à trouver, dans la ville étrangère, la demeure où se trouvait son protégé. Elle entra dans la chambre et prit l'enfant moribond dans son lit. Avec force, elle serra dans ses bras son corps flasque et presque inanimé, elle le berça et le pressa sur son cœur. Seuls les yeux brillants, grands ouverts, indiquaient que la vie n'avait pas encore quitté ce pauvre petit être silencieux.

Trois jours plus tard, on administra à l'enfant l'extrême-onction. Le soir Nini sortit de la chambre du malade et dit à la comtesse, en hongrois : « Je crois qu'il survivra. »

Elle ne pleurait pas, mais les traces des six nuits de veille étaient inscrites sur son visage. Puis elle retourna dans la chambre du malade, sortit de son sac de voyage des provisions qu'elle avait apportées du pays et se mit à manger. Durant six jours, elle maintint l'enfant en vie avec la chaleur de son haleine. La comtesse, agenouillée devant la porte, pleurait et priait. Tous étaient réunis là : la grand-mère française, les domestiques et un jeune prêtre avec des sourcils curieusement plantés de travers. Celui-ci entrait dans l'hôtel et en sortait à toute heure. Par contre, les visites des médecins s'espacèrent.

A moitié guéri, l'enfant partit pour la Bretagne avec Nini. La grand-mère, interdite et vexée, resta à Paris. Naturellement, personne ne parlait de la cause de la maladie de l'enfant. Personne n'en parlait, mais tous la connaissaient. L'enfant avait besoin d'amour et, lorsque ces étrangers s'étaient penchés sur lui et qu'une odeur insupportable émanait de toutes choses, il avait préféré mourir.

En Bretagne, le vent soufflait et les flots déferlaient entre les vieux rochers. Des rocs rouges émergeaient de l'eau. Nini, calme et confiante, contemplait l'océan comme si elle l'avait déjà vu autrefois. Aux quatre coins du château, se dressaient de très vieilles tours en pierre de taille d'où les aïeux de la comtesse guettaient jadis Surcouf et ses pirates. L'enfant reprenait rapidement des couleurs, il brunissait et riait sans cesse. Il n'avait plus peur. Il savait qu'à eux deux, Nini et lui, ils étaient les plus forts. Ils étaient assis au bord de la mer. Le vent gonflait les plis de la robe bleu foncé de Nini ; tout avait un goût de sel, même l'air et les fleurs.

Quand les flots se retiraient le matin, des araignées de mer aux pattes poilues, des crevettes, des étoiles de mer violettes et visqueuses restaient prises dans les poches d'eau autour des rocs rouges. Un vieux figuier était planté dans la cour du château. Il faisait penser à quelque sage de l'Orient qui ne saurait plus raconter que des historiettes très simples. Sous son épaisse frondaison régnait une douce et odorante fraîcheur. Aux heures de midi, quand la mer murmurait doucement, l'enfant s'asseyait avec sa nourrice à l'ombre de l'arbre.

« Je veux être poète ! » dit-il un jour, en contemplant la mer, le regard rêveur sous les paupières mi-closes, tandis que ses boucles blondes ondoyaient dans le vent chaud. La nourrice l'entoura de ses bras et pressa sa tête contre son sein.

« Non, tu seras soldat », dit-elle.

« Comme mon père ? » questionna-t-il et, déçu, il secoua la tête.

Inquiète, la nourrice soupira. Pour détourner son attention, elle dit :

« Ne reste pas au soleil, mon ange. Tu auras mal à la tête. »

Ils restaient sous le figuier de longues heures et écoutaient la mer dont le bruit leur était familier. Ne bruissait-elle pas comme la forêt chez eux ? L'enfant et la nourrice songeaient que, dans l'univers, tout se tient.

V

E N automne, ils quittèrent la Bretagne. L'officier de la Garde les attendait à Vienne. L'enfant fut inscrit à l'Académie militaire. Il reçut un petit sabre, des pantalons et un shako. Lorsque, le dimanche, les élèves allaient se promener au Graben, en tunique bleu marine, ils devaient fixer leur sabre à la ceinture. On aurait dit des enfants qui jouaient au soldat ! Ils portaient des gants blancs et rendaient, avec gentillesse, les saluts qui leur étaient adressés.

L'Académie était située sur le haut d'une colline près de Vienne. Des fenêtres du second étage de ce bâtiment peint en jaune, la vue s'étendait sur la vieille ville avec ses rues et avenues droites, sans grâce, ainsi que sur la résidence d'été de l'Empereur, sur les toits de Schönbrunn et les allées bordées d'arbres taillés du grand parc. Dans les corridors voûtés, peints en blanc, dans les salles de classe, dans la salle à manger et dans les dortoirs, tout était agencé de telle façon rassurante que tout ce qui ailleurs eût semblé superflu ou désordonné paraissait ici avoir trouvé enfin sa place logique et convenable.

De vieux officiers tenaient les rôles de professeurs. Chaque dortoir comprenait trente élèves, à peu près du même âge, qui dormaient, comme l'Empereur, sur d'étroits lits de fer. Au-dessus de la porte d'entrée, un crucifix garni de buis bénit était éclairé la nuit par une veilleuse bleue. Le matin, c'est au son du clairon que les élèves étaient réveillés. En hiver, ils trouvaient parfois l'eau gelée dans les cuvettes de fer-blanc. Dans ce cas, des ordonnances apportaient de l'eau chaude dans de grands brocs.

Les élèves apprenaient le grec, la balistique, l'histoire et le comportement du soldat au combat. Le fils de l'officier de la Garde était pâle et toussotait. Un prêtre, attaché à l'Académie, l'emmenait tous les après-midi en promenade à Schönbrunn. Ils marchaient lentement dans les allées centrales parfaitement rectilignes. D'un bassin, dont les pierres étaient rongées de mousse verte et de moisissure, l'eau jaillissait en gerbes dorées par le soleil. Ils se promenaient entre les rangées d'arbres méticuleusement taillés. Les mains gantées, l'enfant saluait réglementairement ses supérieurs et rendait leur salut aux vieux militaires qu'il croisait, ceux-ci toujours en grande tenue comme si c'était, chaque jour, l'anniversaire de l'Empereur. Un jour, une dame tête nue, une ombrelle de dentelle blanche sur l'épaule, passa près d'eux. Elle marchait rapidement et le prêtre s'inclina très bas à son passage.

« L'Impératrice », souffla-t-il à l'oreille de l'enfant.

Le visage de la dame était très pâle et sa chevelure, dont les nattes faisaient trois fois le tour de sa tête, était très noire. Une dame vêtue de noir la suivait à trois pas de distance, penchée un peu en avant, comme fatiguée par cette marche rapide.

« L'Impératrice », répéta le prêtre avec ferveur.

L'enfant suivit des yeux la femme solitaire. Elle était passée si rapidement que l'on aurait dit qu'entre les arbres du grand parc, elle fuyait quelque danger.

« Elle ressemble à ma maman », dit l'enfant, en se souvenant du portrait suspendu au-dessus de la table de travail de son père.

« On ne doit pas dire chose pareille », répliqua le prêtre d'un ton de reproche.

Du matin au soir, les élèves apprenaient ce que l'on ne devait pas dire. Dans cette Académie de quatre cents enfants, régnait un calme comme celui qui précède l'orage. Des élèves de toutes les parties de l'Empire se trouvaient réunis là, des enfants des palais tchèques, des garçons blonds comme des blés, au petit nez retroussé, aux mains blanches anémiques, venant des cours de Moravie, des enfants des châteaux du Tyrol et de la verdoyante Styrie, des enfants des palais aux volets toujours clos des rues silencieuses avoisinant le Graben à Vienne et des gentilhommières de Hongrie.

Ils portaient les noms prestigieux, difficiles à prononcer, des grandes familles tchèques, polonaises ou magyares. En entrant à l'École, ils devaient laisser au vestiaire ces titres et ces rangs, tout comme les fins vêtements taillés à Vienne ou à Londres et le linge en toile de Hollande. Il ne restait qu'un nom et l'enfant qui portait ce nom devait apprendre désormais ce qui était permis et ce qui ne l'était pas.

Il y avait là aussi de jeunes Slaves au front bas, dans le sang desquels toutes les particularités de l'Empire se trouvaient mélangées, et des aristocrates aux yeux bleus, au regard désabusé, comme si leurs ancêtres avaient déjà tout vu pour eux. Un jour, le jeune fils d'un prince tyrolien se tira une balle dans la tête parce qu'il s'était épris de sa cousine.

Les deux enfants avaient dix ans quand ils firent connaissance. Au dortoir, le lit de Conrad se trouvait non loin de celui de Henri, le fils de l'officier de la Garde.

Bien que maigre, Conrad était vigoureux, comme les enfants de très vieille race chez lesquels l'ossature prévaut sur la chair. Il était plus haut que son camarade, nullement paresseux, plutôt volontairement réservé. Son père, fonctionnaire en Galicie, avait été fait baron en récompense de ses services loyaux ; sa mère était d'origine polonaise. Quand le baron souriait, sa figure s'épanouissait comme celle des Slaves et sa bouche prenait une expression enfantine. Mais il souriait rarement. Ordinairement taciturne, il observait avec attention tout ce qui se passait autour de lui.

Dès les premiers instants, les deux enfants vécurent en frères. Pour cela, ils n'avaient pas eu à conclure un de ces pactes d'amitié que les garçons de leur âge ont l'habitude de célébrer en organisant des cérémonies solennelles et risibles, à l'époque où, inconsciemment et sous une forme dénaturée, s'éveille en eux le désir de ravir au monde le corps et l'âme d'autrui, de manière à être seuls à les posséder, ce qui est le sens véritable de l'amitié et de l'amour. Leur amitié était profonde et grave comme les sentiments qui doivent durer une vie entière. Et, comme dans toute grande affection, il s'y mêlait un sentiment de pudeur et de culpabilité. On ne peut, en effet, isoler impunément de ses proches nul être humain.

Mais ils avaient aussi compris, dès le premier instant, que leur rencontre leur imposait des obligations durant toute la vie. Le jeune Hongrois avait grandi trop vite, il était élancé et de constitution délicate. Ses poumons étant à surveiller, le docteur l'examinait chaque semaine. Sur la demande du directeur de l'Académie, un vieux colonel de Moravie, l'officier de la Garde se rendit à Vienne et eut de longs conciliabules avec les médecins. Des éclaircissements donnés, il ne retint qu'une chose : « l'enfant était en danger ». Les médecins déclarèrent : « En réalité, l'enfant n'est pas malade pour l'instant, mais il est indiscutablement prédisposé aux maladies. En somme, il se trouve menacé », ajoutèrent-ils.

L'officier de la Garde était descendu à l'hôtel « Au Roi de Hongrie », situé dans une ruelle que surplombait le dôme de Saint-Étienne, hôtel où descendait déjà son grand-père. Des bois de cerfs ornaient les couloirs. Logé dans deux grandes pièces bourrées de meubles, tendues de soie jaune, le père avait décidé de prendre son jeune fils avec lui durant son séjour à Vienne. Ils habitaient donc ensemble dans cet hôtel « Au Roi de Hongrie » dans lequel, au-dessus des portes de chaque chambre, on pouvait lire le nom des habitués distingués, comme si l'immeuble était une sorte de maison de repos mondain pour les messieurs de la monarchie qui se déplaçaient non accompagnés.

Dans la matinée, ils prenaient un fiacre et se faisaient conduire au Prater. Comme on était au début de novembre, la température commençait à fraîchir. Le soir, ils allaient au théâtre. Sur la scène, des héros déclamaient, brandissaient leurs épées et s'effondraient en râlant. Père et fils soupaient ensuite au restaurant. Leur salon particulier était retenu et une quantité de serveurs apportaient plats et boissons. Avec un savoir-vivre précoce, l'enfant restait assis près de son père sans mot dire, comme s'il avait à supporter et à pardonner quelque chose.

Après le souper, le père alluma un gros cigare noir et dit comme se parlant à lui-même : « A l'Académie, on prétend que tu es en danger. Si tu le désires, tu peux rentrer à la maison. Mais, en ce qui me concerne, je préférerais que nul danger ne te fît peur. »

« Père, je n'ai nullement peur, répondit l'enfant. Ce que je voudrais, c'est que Conrad restât toujours avec nous. Sa famille n'est pas riche. Ne pourrait-il passer les vacances d'été chez nous ? »

« Est-il ton ami ? », demanda le père.

« Oui. »

« Alors, il est aussi le mien », conclut son père d'un ton sérieux.

Il était en habit et avait une chemise à plastron plissé. Depuis un certain temps, il ne mettait plus son uniforme. Satisfait, l'enfant se taisait : il savait bien que l'on pouvait se fier à ce que disait son père. Partout où ils allaient à Vienne, on le connaissait : dans les chemiseries, les ganteries, chez les tailleurs, dans les restaurants, où d'imposants maîtres d'hôtel régnaient sur les tables, et dans les avenues, des messieurs et des dames qu'ils croisaient en voiture le saluaient cordialement.

« Iras-tu chez l'Empereur ? » lui demanda-t-il un jour, peu de temps avant la date fixée pour le départ.

« Nous disons : le roi[1] », rectifia le père d'un ton sévère et il ajouta : « Non, je ne vais plus jamais le voir. »

L'enfant comprit qu'entre son père et le souverain, il s'était passé quelque chose. Le jour du départ de son père, il devait lui

---

1. L'empereur d'Autriche, pour être reconnu souverain en Hongrie, devait être sacré roi par l'imposition de la couronne de Saint-Étienne.

présenter Conrad. La veille au soir, il s'était endormi avec des battements de cœur. C'était comme s'il allait célébrer ses fiançailles. « Tu ne devras pas parler du roi en sa présence », recommanda-t-il à son ami. Son père se montra magnanime, cordial, tout à fait grand seigneur. D'une seule poignée de main, il avait introduit Conrad dans sa famille.

A partir de ce jour, la toux du jeune garçon diminua. Désormais, il n'était plus seul. Ce qu'il ne pouvait supporter en somme, c'était de se sentir seul parmi les gens.

Les principes d'éducation qu'il avait dans le sang, principes qui lui venaient de sa famille, de la forêt, de Paris et de la sensibilité de sa mère, lui interdisaient de parler de ce qui le faisait souffrir et il devait tout supporter sans se plaindre. Il avait appris, chez lui, que le plus sage était encore de se taire.

Mais il ne pouvait vivre sans affection, ce qui était aussi un trait de caractère inné. C'est sans doute de sa mère française qu'il tenait ce besoin nostalgique de communiquer ses sentiments à quelqu'un. Dans la famille de son père, on ne parlait jamais de choses pareilles. Il lui fallait quelqu'un à aimer, que ce fût Nini ou Conrad. Alors sa fièvre tombait, il cessait de tousser et son visage pâle et mince prenait la teinte rose de l'enthousiasme et de la confiance solide.

Les deux garçons étaient à l'âge où le sexe des enfants n'est pas encore bien défini, où les goûts et les tendances hésitent. Le fils de l'officier de la Garde détestait ses cheveux blonds et fins qui, à son avis, lui donnaient l'air d'une fille et il obligeait son coiffeur à les lui couper tous les quinze jours tout à fait ras. Conrad était plus viril, plus calme, plus sûr de lui-même. Le vaste jardin de l'enfance s'ouvrait devant eux et ne leur faisait pas peur, car maintenant ils n'étaient plus seuls.

Lorsque, à la fin de leurs premières vacances d'été, ils montèrent en voiture pour regagner Vienne, la maman française, debout devant le portail du château, les suivit longtemps du regard. Puis elle dit en souriant à Nini :

« Enfin, deux êtres qui sont heureux ! »

Mais Nini ne souriait pas. Chaque été les enfants arrivaient ensemble. Plus tard, ils passèrent aussi leur congé de Noël au château. Le linge et les vêtements qu'ils portaient étaient pareils ; au château, on les avait installés dans la même chambre, ils lisaient les mêmes livres, ils découvraient ensemble la forêt, la chasse et l'équitation, les vertus militaires, la vie en société et l'amour. Nini était inquiète, peut-être aussi un peu jalouse.

Cette amitié durait depuis quatre années ; les jeunes garçons commençaient à fuir la société et se faisaient des confidences en grand secret. Le fils de l'officier de la Garde était fier de Conrad, il tirait vanité de « l'ami ». Il aurait aimé le faire voir à tout le monde, de même qu'en présence de compagnons émerveillés, on est fier d'exhiber une création superbe, un chef-d'œuvre unique. Mais en même temps, il veillait jalousement sur lui. Il craignait que le monde ne lui ravît celui qu'il aimait.

« C'en est trop, fit observer Nini à la comtesse. Un beau jour Conrad partira et Henri en souffrira énormément. »

« Souffrir est la destinée des hommes », répondit la mère d'Henri d'un ton sentencieux. Assise devant son miroir, elle observait sa beauté qui se fanait. « Un jour ou l'autre, nous devons perdre l'être que nous aimons. Celui qui ne peut supporter cela n'est pas intéressant, parce qu'il n'est pas un vrai homme. »

Leurs condisciples ne se moquèrent pas longtemps de cette amitié. Ils s'y habituèrent comme on s'habitue à un phénomène naturel. D'ailleurs cette amitié ne prêtait guère aux railleries ni aux sarcasmes car elle était faite de tendresse, de sérieux et de dévouement absolu l'un pour l'autre ; oui, il y avait en elle quelque chose d'inéluctable dont le rayonnement ôtait toute envie de plaisanter.

Toutes les communautés humaines sentent ces rapports instinctivement. Et les hommes ne désirent rien aussi ardemment qu'une amitié désintéressée. Ils la désirent souvent sans espoir. A l'Académie militaire, les enfants s'évadaient dans l'orgueil de leur naissance, dans les études, dans les beuveries turbulentes, dans des prouesses sportives, dans des amourettes précoces, troubles et affligeantes. Aussi l'amitié de Conrad et de Henri brillait-elle dans ce gâchis humain, comme la douce lueur des émouvantes cérémonies d'une promesse de vœux du Moyen Age. Rien n'est plus rare parmi les jeunes qu'un sentiment désintéressé qui n'exige ni aide ni sacrifice. La jeunesse escompte toujours le sacrifice de ceux à qui elle a confié ses espérances. Les deux enfants comprenaient qu'ils vivaient un moment privilégié, miraculeux de la vie.

Leurs rapports étaient empreints de la plus grande délicatesse. Tout ce que la vie pouvait leur offrir par la suite – sentiments tendres ou désirs brutaux, passions violentes et liaisons fatales –, tout serait plus grossier, plus inhumain. Conrad était sérieux et réservé, montrant, dès l'âge de dix ans, le caractère de l'homme.

Quand ils parvinrent à l'âge ingrat et prirent plaisir à dire des choses sales, quand ils se mirent aussi à vouloir découvrir les secrets des adultes avec de grands airs, Conrad fit jurer à Henri qu'ils vivraient dans la chasteté. Ils respectèrent longtemps ce serment. Tous les quinze jours, après avoir préparé ensemble la liste de leurs péchés, ils allaient à confesse. Mais ils furent assaillis de désirs indéfinissables. Aux changements de saison, ils pâlissaient et se plaignaient de vertiges. Cependant ils restèrent purs, comme si leur amitié, enveloppant leur jeune existence d'une cape magique, les dédommageait de tout ce que poursuivaient les autres – les curieux, les inquiets, frissonnant de fièvre cruelle – et les poussait vers les sphères inférieures et sombres de la vie.

A l'Académie militaire, il régnait une stricte discipline dont les principes avaient été établis d'après l'expérience et la pratique de nombreux siècles. Tous les matins, les enfants faisaient de l'escrime. Le buste nu, munis de masques et de bandages protecteurs, ils s'exerçaient pendant une heure dans la salle de gymnastique. Venait ensuite l'équitation. Henri se révéla excellent cavalier ; Conrad, par contre, luttait désespérément pour conserver son assiette et son assurance en selle. Il lui manquait précisément la souplesse innée de son ami.

Henri apprenait facilement ; Conrad, avec difficulté, mais ce qu'il avait appris, il le retenait avec l'avidité de l'avare dont ce serait toute la fortune. En société, Henri se comportait avec aisance et désinvolture, comme si la vie ne pouvait plus rien lui apprendre. Quant à Conrad, il était gauche et se contentait d'observer scrupuleusement les usages.

Un été, alors qu'ils avaient déjà le grade d'officier, ils se rendirent ensemble chez les parents de Conrad en Galicie. Le baron, homme âgé, chauve et modeste – que quarante années au service de l'État et les déceptions sociales de sa femme, aristocrate polonaise, avaient usé –, s'empressa gauchement de vouloir distraire les jeunes gens. Dans la ville morne, aux vieilles tours, une fontaine se morfondait au milieu de la grande place carrée et les maisons renfermaient de sombres pièces aux plafonds voûtés.

Les habitants de la ville – des Ukrainiens, des Allemands, des Juifs et des Russes – vivaient dans une excitation perpétuelle et bruyante que les autorités s'employaient à modérer et à contenir. On avait l'impression qu'il se préparait quelque chose dans les rues et les sombres demeures sans air de la ville, peut-être une révolution ou simplement une manifestation de mécontentement, quelque soulèvement pitoyable et tapageur. Une tension énervante et sourde y troublait continuellement les habitants, la voie publique et la vie, comme dans un caravansérail la veille d'une émeute.

Seule la cathédrale, avec sa tour puissante, percée de larges ouvertures en plein cintre, dominait avec sérénité cette confusion turbulente et ce vacarme, comme le symbole de la loi édictée jadis dans la ville pour y imposer impitoyablement ses articles.

L'appartement du baron ne comprenant que trois petites pièces, les jeunes officiers s'étaient logés dans un hôtel. Le premier soir, ils s'installèrent dans un coin de la salle à manger de l'hôtel galicien, sous les palmiers ornementaux couverts de poussière. Ils burent de généreux vins hongrois et restèrent là un bon moment à fumer sans parler. Leurs pensées allaient au baron, à ce vieux fonctionnaire retraité et à sa femme, cette aristocrate désabusée, vieillie avant l'âge, le visage surchargé de fards rouge et bleu qui lui donnaient l'air d'un cacatoès, à cette maîtresse de maison qui leur fit servir, dans son pauvre logement, un repas fastueux : des plats de viande épicés, arrosés de capiteux vins odorants et cela, avec une sollicitude si émouvante et inquiète que l'on eût dit que le bonheur de son fils unique, dont les retours au foyer étaient tellement rares, dépendait de la réussite du repas.

« Alors, tu les as vus », dit enfin Conrad, rompant le silence.

« Oui », répondit le fils de l'officier de la Garde avec gêne.

« Maintenant, dit l'autre doucement, tu peux te faire une idée de ce qui a été fait ici en ma faveur depuis vingt-deux ans et ce que l'on y fait encore actuellement. »

« Je le comprends », répondit Henri et il sentit sa gorge se serrer.

« Chaque paire de gants que je dois acheter, quand nous allons ensemble au Burgtheater, vient d'ici. Lorsque j'ai besoin d'une nouvelle selle, ici, ils ne mangent pas de viande durant trois mois. Pour que je puisse donner un pourboire, mon père se prive de tabac pendant une semaine. Et il en est ainsi depuis vingt-deux ans. Note que je ne manque jamais de rien. Quelque part en Pologne, après la frontière russe, se trouvait une maison entourée d'un grand jardin. Elle appartenait à ma mère... Moi, je ne l'ai jamais vue. Cette demeure et le jardin qui l'entourait ont tout payé : l'uniforme, le prix de ma pension, les abonnements de théâtre... même le bouquet de fleurs que j'ai envoyé à ta mère, quand au cours de son voyage elle est passée par Vienne... et les droits d'inscription à mes examens, oui, jusqu'aux frais de ce duel, quand j'ai dû me battre contre le Bavarois. Durant vingt-deux années, tout a été couvert par cette maison et ce jardin. Ils commencèrent par vendre les meubles, puis le jardin et les terres et, pour finir, la maison elle-même. Ensuite, ils sacrifièrent leur santé, leur confort et la tranquillité de leurs vieux jours ainsi que les ambitions sociales de ma mère, son désir de posséder, dans cette ville pouilleuse de Galicie, un appartement avec une pièce en plus, avec des meubles convenables, pour pouvoir y recevoir de temps à autre des invités. Comprends-tu tout cela ? »

« Je te demande pardon », dit Henri pâle et agité.

« Je ne t'en veux pas » répondit son ami d'un ton très sérieux. « Je voulais seulement qu'une bonne fois tu voies et saches tout cela. Lorsque le Bavarois bondit sur moi le sabre levé et, tout joyeux, exécuta autour de moi feintes et parades, comme si le fait de nous estropier l'un l'autre par pure vanité n'était qu'une bonne blague, le visage de ma mère m'apparut soudain. Je la vis allant tous les jours elle-même au marché, de peur que la cuisinière ne lui comptât deux hellers de trop... car ces deux hellers accumulés faisaient, au bout de l'année, cinq florins qu'elle aurait pu m'envoyer. A ce moment-là, j'aurais été capable de pourfendre cet idiot de Bavarois qui, par simple bravade, voulait m'infliger une blessure, ignorant que la moindre égratignure qu'il me ferait équivaudrait à une offense mortelle envers ces deux êtres de Galicie qui donnaient leur vie pour moi sans se plaindre. Quand chez vous je donne un pourboire à un domestique, je dispose d'une parcelle de leur existence. Dans ces conditions, la vie ne me paraît pas drôle », conclut-il en rougissant.

« Pour quelle raison ? questionna l'autre avec douceur. Ne crois-tu pas que tout cela leur convenait ? »

« Peut-être à eux », admit Conrad après un moment d'hésitation.

Puis, il se tut. Jamais auparavant il n'avait abordé ce sujet. Maintenant, il se livrait, s'interrompant, hésitant, les yeux baissés.

« Dans ces conditions, l'existence me paraît terriblement lourde à supporter. J'ai toujours l'impression de ne pas m'appartenir. Si une maladie me cloue au lit, je suis torturé par la crainte de gaspiller le bien d'autrui, ma santé ne m'appartenant pas exclusivement. Étant militaire, j'ai appris à donner la mort et à la recevoir. J'ai prêté serment de le faire. Mais eux... pourquoi auraient-ils supporté tout cela, si j'étais mort prématurément ? Me comprends-tu maintenant ? Ils vivent depuis vingt-deux ans dans cette bourgade où flotte une puanteur lourde et suffocante, pareille à celle d'un réduit malpropre dans lequel les caravanes en marche passent la nuit... cette odeur de cuisine, ces parfums bon marché, ces lits non aérés... Ils ont vécu là, sans jamais proférer une plainte. Mon père, né et élevé à Vienne, n'y est pas retourné depuis vingt-deux années. Mes parents n'entreprirent aucun voyage, ne firent l'acquisition d'aucun article d'habillement, ne s'accordèrent aucunes vacances, tout cela uniquement parce que je devais devenir un être exceptionnel, un chef-d'œuvre, ce qu'ils avaient été trop faibles pour réaliser eux-mêmes dans leur existence. Parfois, au moment d'agir, mon bras reste en l'air, inerte. Le sentiment de la responsabilité le paralyse. J'ai même désiré leur mort », acheva-t-il tout bas.

« Oui », dit Henri gravement.

Les deux amis restèrent quatre jours dans la ville. Au moment de leur départ, ils sentirent clairement que, pour la première fois, il était intervenu quelque divergence dans leur vie. Il leur semblait que l'un d'eux était redevable de quelque chose à l'autre. Le définir avec précision n'était toutefois guère possible.

VI

Pourtant, Conrad disposait d'un refuge, d'une retraite cachée, où le monde ne pouvait l'atteindre : la musique. Henri qui n'était pas musicien et se contentait de musique tzigane et de valses viennoises ne pouvait pas non plus l'y suivre. A l'Académie militaire, la musique n'avait pas véritablement droit de cité. Maîtres et élèves la toléraient seulement et l'excusaient comme on excuse une sorte de péché de jeunesse. « En fin de compte, personne n'est tout à fait sans défaut... Tel veut à tout prix faire de l'élevage de chiens, tel autre s'adonne à l'équitation... Il vaut encore mieux faire de la musique que de jouer aux cartes. C'est en tout cas moins dangereux que les femmes... » C'était là l'opinion générale.

Conrad toutefois se demandait si la musique n'était pas une passion tout à fait sans danger. Évidemment, l'Académie militaire n'admettait pas que l'amour de la musique conduisît à une révolte contre ses règlements. Le plan d'études prévoyait bien la connaissance des notions fondamentales de la musique, mais les cours se bornaient à enseigner aux élèves qu'en musique on se servait de trompettes, que la musique militaire dans les défilés était précédée d'un tambour-major, qui lançait de temps en temps sa canne en l'air et que, derrière les rangs des musiciens, un poney traînait la grosse caisse. Cette musique-là – élément indispensable de toute parade – était sonore et bien rythmée ; elle devait discipliner le pas de la colonne en marche et attirait la population civile dans les rues. Une musique qui faisait marcher d'un pas plus énergique, c'était là sa raison d'être. Que la musique pût exprimer le douloureux, le pathétique et le solennel, personne ne s'en préoccupait.

Pour Conrad cependant, c'était cela la vraie musique qui, chaque fois qu'elle frappait ses oreilles, le faisait tressaillir. Toute musique le touchait comme un coup porté à son corps. Elle lui communiquait des émotions dont les autres ne pouvaient avoir la moindre idée. Sans doute ne s'adressait-elle pas seulement à son cerveau. L'existence de Conrad s'écoulait selon les règles sévères de son éducation, règles qu'il avait acceptées librement, comme un croyant accepte de faire pénitence et, au prix de cette discipline, il avait atteint un certain rang dans le monde. Mais, dès qu'il entendait de la musique, son attitude raide et crispée paraissait se détendre, comme lorsque dans l'armée, après une longue et fatigante parade, retentit soudain le commandement : repos. A ce moment-là, il oubliait son entourage. Le regard fixe, brillant, il ne voyait plus ses supérieurs ni ses condisciples, ni les jolies femmes autour de lui.

La musique, il l'écoutait avec son corps, il l'absorbait, comme assoiffé. Il l'écoutait comme le prisonnier écoute le bruit des pas qui approchent et apportent, peut-être, la nouvelle de la délivrance. Il n'entendait plus rien d'autre, tout disparaissait, absorbé par la musique. Dans cet état, Conrad n'était plus militaire.

Un soir d'été, la mère d'Henri et Conrad exécutaient un morceau à quatre mains. En attendant de passer à table, assis dans un coin du salon, l'officier de la Garde et son fils les écoutaient poliment. Leur attitude patiente semblait signifier : « La vie est faite d'obligations. La musique doit être, elle aussi, supportée. D'ailleurs, il n'est pas convenable de manifester son ennui devant les femmes. »

La comtesse et Conrad jouaient avec passion. Ils interprétaient Chopin avec un tel feu que, dans la pièce, tout paraissait vibrer. Tandis que dans leur fauteuil le père et le fils attendaient avec courtoisie et résignation la fin du morceau, ils comprenaient qu'une véritable métamorphose s'était opérée chez les deux pianistes. De ces sonorités, une force magique s'échappait, capable d'ébranler les objets, en même temps qu'elle réveillait ce qui est enfoui au plus profond des cœurs. Dans leur coin, les auditeurs polis découvraient que la musique pouvait être dangereuse en libérant un jour les aspirations secrètes de l'âme humaine.

Mais les pianistes ne se souciaient pas du danger. La « polonaise » n'était plus que le prétexte à l'explosion des forces qui ébranlent et font crouler tout ce que l'ordre établi par les hommes cherche à dissimuler si soigneusement. Un accord plaqué avait brusquement terminé leur jeu. Ils restèrent assis devant le piano, le buste tendu et quelque peu rejeté en arrière. Il semblait que tous deux, après avoir lancé dans l'espace les coursiers fougueux d'un fabuleux attelage, tenaient d'une main ferme, au milieu d'un déchaînement tumultueux, les rênes des puissances libérées. Par la croisée, un rayon du soleil couchant pénétra dans la pièce et, dans ce faisceau lumineux, une poussière dorée se mit à tournoyer comme soulevée par ce galop vers l'infini.

« Chopin, dit la Française qui respirait avec peine, son père était français. » « Et sa mère, polonaise, ajouta Conrad, le regard lointain. Ma mère était sa parente », dit-il encore rapidement, comme s'il avait honte de cette parenté.

Tous prêtèrent attention à lui, car dans sa voix on percevait une grande tristesse, comme dans celle des exilés qui parlent de leur pays et de leur désir de le revoir. L'officier se pencha et regarda l'ami de son fils avec étonnement, comme s'il le voyait pour la première fois. Dans la soirée, lorsque au fumoir il se trouva seul avec son fils, il lui dit :

« Conrad ne sera jamais un vrai militaire. »

« Et pourquoi ? » questionna Henri, bien qu'il se rendît compte, lui aussi, que son père avait raison. L'officier de la Garde hocha la tête, étendit les jambes vers la cheminée, alluma sa pipe et suivit du regard l'épaisse fumée qui en sortait.

« Parce qu'il est différent de nous », conclut-il après un bon moment, avec la calme assurance d'un homme de métier.

Ce n'est que de très nombreuses années plus tard, lorsque son père n'était plus de ce monde depuis longtemps, que le général comprit le sens exact de ces paroles.

VII

L ES deux garçons, élevés ensemble, passèrent leur conseil de
révision et prêtèrent serment en même temps. Durant
leurs années de Vienne, ils vécurent sous le même toit, car
l'officier de la Garde avait obtenu que son fils et Conrad fussent autorisés à faire leur service militaire à proximité de la
cour de Vienne.

Au premier étage d'une étroite maison grise, près du parc
de Schönbrunn, ils louèrent, chez la veuve d'un médecin-
major, un appartement de trois pièces. Conrad y fit installer
un piano, mais n'en joua que rarement; on eût dit qu'il craignait de faire de la musique. Ils vécurent dans ces trois pièces
comme des frères, mais le fils de l'officier de la Garde sentait
parfois, avec inquiétude, que son ami lui cachait quelque
secret.

Conrad était évidemment « différent » des autres. On n'osait
l'interroger. Il ne discutait jamais et ne se départait jamais de son
calme. Il remplissait ses obligations, fréquentait ses camarades,
allait en société et circulait dans l'univers comme si toute l'existence ne consistait qu'en règlements militaires et comme s'il
était, lui, de service nuit et jour.

Durant cette période, le fils de l'officier de la Garde constatait
parfois que Conrad vivait comme un moine, qu'il n'était pas
réellement dans la vie. Les devoirs de son service terminés, un
autre service commençait pour lui, plus dur, plus exigeant, de

47

même que dans la vie monocale le règlement ne comporte pas seulement des heures de prière et des exercices de piété, mais aussi des moments de solitude et de méditation.

La musique effrayait Conrad. Cependant des liens secrets l'attachaient à elle et non seulement son esprit mais aussi, avec une force égale, son corps. Il craignait la musique comme si, en son essence, elle comportait un commandement fatal et impérieux qui devait le détourner de sa voie et l'écraser.

Le matin, les deux amis partaient ensemble au Prater ou au manège, après quoi Conrad, son travail accompli, rentrait chez lui dans l'appartement de Hietzing. Des semaines passaient sans qu'il sortît le soir. Dans la vieille maison, on se servait encore de lampes à pétrole et de bougies. Le fils de l'officier de la Garde, lui, rentrait tous les soirs après minuit. Et, chaque fois, avant même d'avoir quitté son fiacre, il apercevait à la fenêtre de son ami une faible lueur vacillante.

Cette lumière incertaine était pleine de reproches. Henri donnait alors une pièce de monnaie au cocher et s'arrêtait devant le portail de la maison, dans la rue plongée dans le silence. Pendant qu'il retirait ses gants et cherchait ses clefs dans sa poche, il était torturé par le sentiment que sa conduite avait ce soir-là, une fois de plus, trahi son ami. Il arrivait chez lui, venant de ces salons des beaux quartiers de Vienne où l'on jouait une douce musique, si différente de celle qu'aimait Conrad. Une musique facile qui faisait paraître l'existence plus agréable, plus gaie, qui faisait briller le regard des femmes et flattait la vanité des hommes. C'était le sens de la musique que l'on faisait en ville et partout où le fils de l'officier de la Garde passait les nuits de ses années de jeunesse.

Mais la musique qu'aimait Conrad ne cherchait pas à l'étourdir. Elle éveillait les passions, l'inquiétude humaine et, dans les cœurs et les consciences, le sens d'une vie plus profonde. « Une pareille musique est effrayante », se dit le fils de l'officier de la Garde et, de dépit, il se mit à siffloter une valse viennoise.

Tout Vienne chantonnait alors les valses du jeune compositeur Johann Strauss en vogue depuis peu. Henri sortit de sa poche la clé de la maison et ouvrit la lourde porte, vieille de plus de cent ans. La spacieuse cage de l'escalier sentant le renfermé était éclairée par la faible lueur d'une lanterne à huile. Il s'arrêta un instant pour regarder le jardin couvert de neige qui, au clair de lune, formait une surface blanche comme délimitée à la craie parmi des objets aux contours noirs.

La paix et le calme étaient partout. Vienne dormait déjà. Il neigeait. Dans le château impérial, l'Empereur dormait et, à la ronde, dans les provinces, cinquante millions d'habitants dormaient également. Le fils de l'officier de la Garde se sentait un peu garant de ce calme. Lui aussi veillait à ce que l'Empereur et ses cinquante millions de sujets pussent s'abandonner tranquillement à un profond sommeil. Il y contribuait dans une certaine mesure par le simple fait même de porter avec honneur l'uniforme, d'aller dans le monde et d'y apporter la distraction que l'on attendait de lui.

Le fils de l'officier de la Garde savait qu'il obéissait à d'importantes lois écrites et non écrites et que sa discipline à la caserne, au camp de manœuvres et dans les salons, faisait partie de son métier. Pour cinquante millions d'êtres, le sentiment de sécurité provenait du fait qu'ils savaient que leur Empereur se couchait avant minuit, se levait à cinq heures et qu'à la lueur d'une bougie, il s'asseyait à son bureau dans son fauteuil de paille tressée et que tous ceux qui lui avaient prêté serment obéissaient également aux lois et coutumes. Naturellement l'obéissance devait être encore plus absolue que celle prescrite par les lois. Elle était ancrée dans le cœur des hommes et c'est cela qui était important. Voilà ce que pensait Vienne, l'année où le fils de l'officier de la Garde et son ami avaient vingt-deux ans.

Le fils de l'officier de la Garde monta l'escalier aux marches vermoulues en continuant à siffler doucement un air de valse. Tout sentait le renfermé dans cette maison, mais en même temps, il y flottait une légère odeur doucereuse de confitures que l'on vient de faire.

Cet hiver-là, le carnaval fit rage à Vienne, à l'égal d'une épidémie bénigne. Tous les soirs, on dansait dans les salles dorées, à la lumière des langues de feu ondoyantes de l'éclairage au gaz, en usage depuis peu. Il avait beaucoup neigé et, dans les rues blanches, les cochers véhiculaient silencieusement les couples d'amoureux. La ville entière festoyait tous les soirs sous les toits couverts de neige.

Le fils de l'officier de la Garde se rendait néanmoins chaque matin à l'École d'équitation de la Cour pour admirer les prouesses des fameux Lipizzans. Cavaliers et chevaux faisaient preuve d'une distinction et d'une noblesse semblables, dégageant un sentiment de bien-être et de joie dans la perfection et le rythme de leurs mouvements. Puis, il partait faire une longue marche, car sa jeunesse avait besoin d'exercice.

Sa ressemblance avec son père lui valut d'être connu des garçons de café et des vieux cochers de fiacre de la capitale. En ces temps-là, Vienne et tout l'Empire austro-hongrois formaient comme une grande famille, dans laquelle Hongrois, Allemands, Moraves, Tchèques, Serbes, Croates et Italiens comprenaient que seul un Empereur était à même de maintenir l'ordre au milieu des désirs extravagants et des revendications passionnées de ses sujets, oui, seul cet Empereur qui était à la fois maréchal des logis et souverain, bureaucrate et grand seigneur.

Dans les brasseries en sous-sol du centre de la ville, on servait la meilleure bière du monde et, à l'heure du déjeuner, l'odeur du savoureux goulache se répandait dans les rues. Dans les cœurs, régnait une euphorie telle que l'on avait l'impression que la paix parmi les hommes durerait éternellement. Les femmes portaient des manchons de fourrure, des chapeaux à grandes plumes et leurs yeux étincelaient derrière la voilette.

L'après-midi, vers quatre heures, les becs de gaz s'allumaient dans les cafés où l'on servait du café avec de la crème fouettée. Aux tables réservées, s'asseyaient des habitués : généraux retraités et vieux fonctionnaires. Les joues rouges d'émotion, des femmes dissimulées au fond des fiacres se hâtaient vers des garçonnières où de grosses bûches flambaient dans les cheminées. Le carnaval viennois accaparait les pensées de chacun, l'amour – véritable agent d'une conspiration englobant toutes les classes de la société et stimulant tous les cœurs – triomphait et jetait ses filets dans la ville entière.

Avant le théâtre, les amateurs de vins généreux se retrouvaient en rendez-vous discrets dans la cave du palais du prince Eszterhazy, au centre de la ville. A l'hôtel Sacher, dans des cabinets particuliers, on dressait le couvert pour les archiducs et, dans des locaux remplis de fumée et mal aérés d'une cave inaugurée récemment à proximité du dôme Saint-Étienne, des seigneurs polonais buvaient des eaux-de-vie fortes, car la chance ne favorisait pas leur patrie. Mais on avait l'impression, en cet hiver viennois, que tout le monde était heureux.

C'est ce que pensait le fils de l'officier de la Garde, lorsque ce soir-là il rentrait chez lui, en sifflotant de bonne humeur. Dans l'antichambre, la chaleur du poêle de faïence l'accueillit comme la poignée de main d'un parent cher. Tout en cette ville lui semblait possible. Les archiducs se comportaient parfois comme des malotrus et les concierges ambitionnaient et usurpaient en secret une position sociale extraordinaire. Le domestique se précipita, débarrassa son maître de son manteau, de son képi et de ses gants. De sa main restée libre, il prit sur le poêle la bouteille de bourgogne rouge. Chaque soir, le fils de l'officier de la Garde sirotait un petit verre de ce vin généreux, comme s'il voulait prendre congé de la journée et des souvenirs légers de la soirée à l'aide des sages conseils de cette noble boisson. Le domestique, portant la bouteille sur un plateau d'argent, suivit Henri dans la chambre de Conrad.

Parfois, les deux amis bavardaient jusqu'à l'aube. Souvent le poêle était éteint depuis longtemps mais ils n'en continuaient pas moins leur conversation. Conrad parlait des livres qu'il lisait et Henri devisait sur la vie. Conrad ne possédait pas la fortune que nécessitait sa carrière. La vie militaire soulevait pour lui une quantité de problèmes délicats. Le fils de l'officier de la Garde sentait que leur pacte d'amitié, fragile et complexe comme tous les liens humains, devait être préservé de toutes les complications causées par l'argent. Pas le moindre trait d'avarice ou d'indélicatesse ne devait le compromettre.

La tâche n'était pas facile. Ils échangeaient fraternellement leur sentiment à ce sujet. Sur un ton de douce supplication, le fils de l'officier de la Garde offrait sa fortune dont il ne savait trop que faire. Mais Conrad déclarait qu'il ne pouvait accepter un seul heller[1]. Ils savaient, l'un et l'autre, que l'on ne pouvait modifier l'ordre des choses : Henri n'avait pas la possibilité de donner de l'argent à Conrad et il était obligé de vivre la vie mondaine conforme au rang et au nom qu'il portait. Pendant ce temps-là, dans l'appartement de Hietzing, Conrad dînait, cinq jours par semaine, d'un plat aux œufs et contrôlait lui-même le linge que la blanchisseuse lui rapportait. Mais ce n'était pas grave : ce qui était de beaucoup plus important et plus pressant, c'était de sauvegarder, en dépit de l'argent, leur amitié qui devait durer autant que leur vie.

Conrad perdait rapidement sa jeunesse. A l'âge de vingt-cinq ans, il lui fallait des lunettes pour lire. Quand le soir, son ami rentrait de quelque sortie dans le monde, l'odeur de tabac et de l'eau de Cologne imprégnant ses vêtements, quand il arrivait légèrement ivre et désinvolte, les deux amis restaient longtemps à causer comme des compagnons de bonne fortune. On aurait dit que Conrad était un magicien qui, installé dans son fauteuil, se creusait la tête pour trouver la raison d'être de l'humanité et le sens de la vie, pendant que son apprenti courait le monde pour observer et lui rapporter les secrets de l'existence humaine. Conrad lisait de préférence des livres anglais, en premier lieu des ouvrages historiques sur la vie en commun des hommes et sur l'évolution sociale. Le fils de l'officier de la Garde préférait les livres sur l'équitation et les récits de voyage. Ayant une grande affection l'un pour l'autre, ils se pardonnaient leur défaut capital : Conrad à son ami pardonnait sa fortune et le fils de l'officier de la Garde à Conrad, sa pauvreté.

---

1. La couronne austro-hongroise était divisée en 100 hellers.

Comme l'officier de la Garde l'avait constaté un jour en écoutant sa femme et Conrad jouer une polonaise de Chopin, Conrad était « différent » de ses compagnons. Or, justement de ce fait, il avait pris de l'ascendance sur l'âme de son ami.

Quel était le sens de cette autorité ? En toute supériorité humaine, il y a une légère part de mépris pour celui que l'on surpasse. Un homme ne peut dominer entièrement d'autres hommes que si – après avoir bien connu et compris ceux qui ont dû se soumettre – il leur a marqué son dédain avec beaucoup de tact. Les entretiens nocturnes dans la maison de Hietzing prirent peu à peu le ton et le caractère d'une conversation entre un professeur et son élève.

A la manière des personnes que leurs goûts et les circonstances ont confiné prématurément dans la solitude, Conrad parlait du monde sur un ton légèrement ironique et dédaigneux, mais – malgré tout – avec intérêt. Il semblait croire que tout ce que l'on pouvait y observer n'avait d'intérêt que pour les enfants et pour des êtres aussi peu expérimentés que les enfants. On percevait cependant dans sa voix une certaine nostalgie, celle de la jeunesse qui ne peut s'empêcher de rêver à la patrie équivoque, indifférente et terrible que l'on nomme univers. Lorsque Conrad, d'un ton condescendant mais très amical, plaisantait Henri à propos de ses aventures dans le monde, sa voix vibrait comme celle des êtres pleins de désirs.

Ils vivaient ainsi dans la lueur étincelante de la jeunesse en remplissant un rôle, celui de leur métier, rôle qui en même temps conférait à leur existence une tension et une consistance intérieures. Des mains de femmes aussi frappaient parfois à la porte de l'appartement de Hietzing. Elles frappaient avec discrétion, émotion et bonne humeur. C'est ainsi qu'un jour la danseuse Véronique frappa à la porte. Au souvenir de ce nom, le général passa la main sur ses yeux, comme quelqu'un qui sort d'un sommeil profond et qui doit reprendre ses esprits.

Oui, Véronique... Et aussi Angèle, la jeune veuve du médecin-major. Cette Angèle qui raffolait des courses de chevaux...

Non, c'est Véronique qu'il avait préférée... Elle habitait rue Dreihufeisen[1] dans une très vieille maison, un atelier sous les toits que l'on ne pouvait jamais chauffer convenablement. Elle ne pouvait toutefois vivre que là car, pour son entraînement, il lui fallait un vaste local se prêtant à ses exercices. Des bouquets de fleurs artificielles, couverts de poussière ainsi que des tableaux représentant des animaux que le locataire précédent, un peintre de Styrie, avait laissés en gage, ornaient la grande pièce sonore. La danseuse Véronique vivait là parmi de vieux meubles recouverts de housses déchirées et des rideaux poussiéreux.

Son parfum violent était perceptible jusque dans l'escalier. Par une belle soirée d'été, ils étaient sortis ensemble tous les trois. Le général s'en souvenait parfaitement ; il revoyait tout avec une grande netteté, comme s'il contemplait une gravure à l'aide d'une loupe. Ils dînèrent dans une petite auberge du Vienerwald[2]. Une voiture les avait transportés sous un bouquet d'arbres odorants. La danseuse portait un chapeau de paille d'Italie à larges bords, des mitaines blanches au crochet qui lui couvraient l'avant-bras, une robe de soie rose foncé qui, pincée à la taille, la faisait très mince et des souliers de soie noire. Oui, malgré son mauvais goût, elle était ravissante.

Sous les feuillages dorés, elle avançait sur le gravier avec légèreté et une certaine hésitation, comme si chaque pas qu'elle faisait vers l'auberge était indigne de ses pieds. De même qu'il est inconvenant de racler sur un Stradivarius des chansons pour boire, elle estimait que ses jambes, ces merveilles dont la seule raison d'être ici-bas était la danse – cette victoire remportée sur cette lamentable attraction des corps par la terre –, devaient être préservées de toute humiliation.

Dans la cour de l'auberge entourée de vigne, ils prirent leur repas à la lueur d'une chandelle dont la flamme clignotait dans un globe de verre. Ils se firent servir des vins rouges légers et la

1. Rue des Trois-fers-à-cheval.
2. Région boisée aux environs de Vienne.

jeune femme fut très gaie. Sur le chemin du retour, ils aperçu-rent, du haut d'une colline, la ville luisante sous la lueur argen-tée de la lune. Assise dans la voiture, entre ses deux cavaliers, la danseuse, dans un moment d'abandon, leur passa ses bras autour du cou. C'était un moment de félicité, de libération des chaînes de l'existence consciente. Puis ils raccompagnèrent la jeune femme chez elle en silence. Devant le portail de sa maison, ils prirent congé en lui baisant la main.

Oui, cette charmante Véronique... et cette Angèle qui se pas-sionnait pour les chevaux! Et toutes les autres qui, des fleurs dans les cheveux, passaient en dansant la ronde et laissaient der-rières elles des rubans, des lettres, des fleurs et, parfois, un gant. Ces femmes avaient apporté dans leur vie les premières ébauches des rêves d'amour et tout ce dont l'amour se compose : le désir, la jalousie et la solitude qui consume. Pourtant, au-delà des femmes et du monde, s'était affirmé en eux un sentiment plus fort que tous les autres. Seuls les hommes connaissent ce senti-ment. Il se nomme amitié.

VIII

L E général s'habilla sans déranger son domestique. Il sortit de l'armoire son uniforme de gala et, rêveur, le contempla longuement. Des dizaines d'années s'étaient écoulées sans qu'il l'eût revêtu. Dans un coffret contenant des écrins doublés de satin rouge, vert ou blanc, il prit ses décorations et, d'un air pensif, les soupesa. Tandis que ses doigts palpaient les médailles de bronze, d'argent et d'or, il revit en pensée une tête de pont sur le Dniepr, une prise d'armes à Vienne et une audience solennelle au palais royal de Buda.

Qu'avait-il eu de la vie ? Il haussa les épaules et, distraitement, laissa glisser les décorations dans le coffret, comme le joueur de cartes déverse, après la partie décisive, ses jetons de couleurs variées.

Il remit l'uniforme dans l'armoire et choisit un vêtement noir et un nœud de cravate en piqué blanc. Avec une brosse, qu'il trempa dans l'eau, il lissa les mèches rebelles de sa chevelure argentée. Ces dernières années, il portait chaque soir cette austère tenue, quasi sacerdotale. Ainsi vêtu, il s'approcha de son bureau. De ses doigts tremblants et indécis de vieillard, il chercha dans son portefeuille une petite clef et ouvrit un long et profond tiroir. D'un compartiment secret, il en sortit divers objets : un pistolet belge, des lettres liées ensemble par un ruban de soie bleu et un mince carnet relié en velours jaune sur la couverture duquel se trouvait inscrit, en lettres dorées, le mot : Souvenir. Le carnet était entouré d'une bande bleue dont les extrémités croisées avaient été cachetées d'une cire de même couleur. Le général le garda longtemps dans sa main.

Il examina ensuite le pistolet attentivement, en connaisseur. C'était une arme à six coups d'un modèle ancien. Toutes les balles se trouvaient dans le barillet. De nouveau, le général haussa les épaules, jeta l'arme dans le tiroir, comme un objet sans importance, puis fit glisser le carnet dans la poche intérieure de sa redingote.

Il s'approcha alors de la fenêtre et leva les jalousies. Pendant son sommeil, une pluie d'orage était tombée sur le jardin. Un vent frais secouait les arbres et les feuilles mouillées des platanes avaient des reflets luisants. Le crépuscule tombait. Le général resta devant la fenêtre, les bras croisés sur la poitrine. Son regard errait sur le paysage, sur la vallée et la forêt, et cherchait la route blanche et les contours de la ville. Il distingua, sur la route, une voiture qui avançait lentement. L'invité allait donc arriver.

Immobile, un œil fermé, sans que son visage trahît ses sentiments, il regarda l'attelage qui approchait, exactement comme un chasseur qui vise.

IX

Il était sept heures passées quand le général sortit de sa chambre. Appuyé sur sa canne à poignée d'ivoire, il parcourut à pas lents et mesurés le long corridor qui reliait les chambres de cette aile aux grandes pièces de réception. Les parois du corridor étaient couvertes de tableaux : dans des cadres dorés, des portraits d'ancêtres, d'arrière-grands-pères et d'aïeules, d'amis, de vieux serviteurs, de camarades de régiment, d'illustres visiteurs d'antan.

Une tradition de la famille du général voulait qu'un peintre séjournât en permanence au château. La plupart du temps, celui-ci venait de la corporation des peintres ambulants, mais il y avait aussi eu, parmi eux, des portraitistes au nom connu, tel ce peintre de Prague qui, du temps du grand-père du général, était resté huit années au château et avait fixé sur la toile tout ce qui avait inspiré son pinceau. Le majordome et les meilleurs chevaux de l'époque ne lui échappèrent pas non plus.

Des arrière-grands-parents furent les victimes du pinceau d'artistes amateurs de passage. En tenue de gala, ces aïeux laissaient tomber, de leur hauteur, un regard vitreux. Venaient ensuite quelques portraits d'hommes posés et sérieux, contemporains du général, en habit ou en uniforme, avec des moustaches cirées à la hongroise et des boucles calamistrées sur le front.

En regardant ces portraits de parents, d'amis, de camarades de régiment de son père, le général se disait : « C'étaient des gens d'une génération splendide, bien qu'un peu trop retirés de la vie. Ils n'ont jamais su s'amalgamer entièrement au monde, mais ils avaient des convictions auxquelles ils restaient fermement attachés. Si tel d'entre eux subissait une déception, il se taisait. Pour la plupart, ils se turent toute leur vie. »

Les portraits français étaient suspendus vers la fin du corridor. Ils représentaient de vieilles dames françaises avec des coiffures très hautes et des messieurs replets aux lèvres sensuelles, portant perruque. C'étaient des parents lointains de sa mère : des visages étrangers qui ressortaient sur un fond rose ou gris perle. A côté l'un de l'autre, le portrait de son père, en uniforme d'officier de la Garde, et celui de la comtesse, coiffée d'un chapeau à plumes, une cravache à la main, comme une écuyère de cirque.

Ensuite, entre deux tableaux, une place vide d'un mètre carré, ourlée d'une légère ligne grise, témoignait qu'à cet emplacement se trouvait aussi, autrefois, un tableau fixé sur le mur blanc. Le général, le visage impassible, passa devant le carré dégarni et parvint aux tableaux de paysages qui suivaient.

Nini, en robe noire, l'attendait au bout du corridor. Sur sa petite tête d'oiseau, elle portait une coiffe amidonnée d'une blancheur éclatante.

— Tu regardes les tableaux ? demanda-t-elle.

— Parfaitement.

— Veux-tu que nous remettions le portrait ? s'informa-t-elle, avec le calme des personnes très vieilles, en désignant la place vide.

— Il existe toujours ? s'enquit à son tour le général.

La nourrice inclina la tête pour indiquer qu'elle l'avait conservé.

— Non, conclut le général après un moment de réflexion, et il ajouta à voix basse : J'ignorais que tu l'eusses gardé. Je pensais que tu l'avais brûlé depuis longtemps.

— Brûler des tableaux n'a pas le moindre sens, répondit la nourrice d'une petite voix aiguë.

– En effet, cela n'a aucun sens, dit le général sur un ton de familiarité que l'on n'emploie qu'en parlant à sa nourrice.

– Car cela ne changerait rien.

Elle se tourna vers la vaste cage de l'escalier et dirigea son regard sur le vestibule où une femme de chambre et un domestique disposaient des fleurs dans des vases de cristal.

Durant ces dernières heures, le château s'était animé comme une mécanique dont le ressort a été remonté. Non seulement les meubles, les fauteuils et les canapés, libérés de leurs housses blanches d'été, avaient repris un air vivant, mais aussi les tableaux sur les murs, les grands candélabres en fer forgé ainsi que les bibelots dans les vitrines et sur les cheminées. D'imposants tas de bûches dans l'âtre attendaient d'être allumés, car, après minuit, la fraîcheur de l'été finissant faisait pénétrer dans les appartements un souffle d'humidité. On avait l'impression que les objets avaient acquis soudain un sens et voulaient prouver que toutes choses au monde n'avaient de signification et d'importance qu'en raison de leurs rapports avec les hommes et quand elles devenaient partie intégrante de la destinée de ceux-ci. Le général contempla le grand vestibule, les fleurs sur la table devant la cheminée et la disposition des fauteuils.

– Ce fauteuil de cuir se trouvait à droite, dit-il.

– Tu t'en souviens si bien ? questionna la nourrice en clignant des yeux.

– Oui ! Conrad était assis du côté de la pendule, là, près du feu. J'étais assis au milieu, dans le fauteuil florentin en face de la cheminée et, vis-à-vis de moi, Christine, dans un fauteuil que ma mère s'était fait envoyer de France.

– Es-tu bien sûr de tout cela ? demanda la nourrice.

– Parfaitement, dit le général en s'appuyant sur la rampe de l'escalier et en continuant à regarder vers le bas. Dans le vague en cristal bleu, il y avait des dahlias. Quarante et une années se sont écoulées depuis lors.

– En effet, dit la nourrice en soupirant. Tes souvenirs sont exacts, sans aucun doute.

– Certes, je m'en souviens très bien. As-tu fait mettre le couvert avec le service de porcelaine française ?

– Oui, le service à fleurs, répondit-elle.

– Très bien, approuva le général d'un ton satisfait.

Ils regardèrent alors un moment le spectacle qui s'offrait à leurs yeux : la grande pièce et les lourds meubles qui avaient conservé le souvenir d'une heure ou seulement d'une minute. Les étoffes des tentures, les bois et les métaux avaient d'abord simplement existé, mais quarante et une années auparavant, un instant leur avait insufflé la vie. Cet instant unique était devenu leur raison d'être. Et voilà que maintenant ils avaient repris la vie et semblaient eux-mêmes se souvenir.

– Que serviras-tu à notre invité ? interrogea le général.

– Des truites, répondit la nourrice. Un potage et des truites. Puis un plat de viande à l'anglaise et de la salade. Ensuite, un parfait. Le cuisinier n'en a pas fait depuis une dizaine d'années. Peut-être sera-t-il bon quand même, dit-elle soucieuse.

– Veille à ce qu'il soit réussi. Alors, on avait aussi servi des écrevisses, dit-il doucement, comme s'il parlait en lui-même.

– Certainement, répondit la nourrice à voix basse. C'est vrai que Christine aimait les écrevisses ; elle les aimait préparées de toutes les façons. A cette époque-là on trouvait encore des écrevisses dans le ruisseau. Maintenant, il n'y en a plus et ce soir, je ne pouvais plus en faire apporter de la ville.

– Surveille aussi les vins, lança le général sur un ton de camaraderie.

A ces mots, la nourrice s'approcha involontairement de lui et donna son accord d'un mouvement de la tête avec la familiarité d'une domestique qui serait en même temps un membre de la famille.

– Fais monter de la cave ce pommard de l'année 86 et fais servir du chablis avec le poisson. Aussi, une bouteille de Mumm... un magnum. Sauras-tu le trouver ?

– Certainement, répond Nini. Mais il ne reste que du brut. Christine n'aimait que le demi-sec.

– En effet, mais rien qu'une gorgée, dit le général. Avec le rôti, et jamais plus d'une goutte. Elle n'aimait pas vraiment le champagne.

– Que veux-tu de cet homme? s'enquit alors la nourrice.

– La vérité, dit le général simplement, sur un ton étouffé.

– La vérité, tu la connais parfaitement.

– Non, je ne la connais pas, rétorqua-t-il d'une voix forte, sans se préoccuper qu'au ton de sa voix le domestique et la servante, en bas, cessèrent d'arranger les fleurs et levèrent la tête vers lui. Mais ils baissèrent aussitôt les yeux et reprirent leur travail.

– La vérité exacte, je ne la connais pas, ajouta-t-il moins fort.

– Mais tu connais pourtant les faits, lança la nourrice sur un ton sec et provocant.

– Les faits sont loin d'être la vérité, répondit le général. Les faits n'en sont qu'une partie. Christine elle-même n'a pas dit la vérité. Conrad peut-être... Oui, peut-être la connaissait-il. Maintenant, je vais la lui arracher, conclut-il tranquillement.

– Que veux-tu lui arracher? questionna la nourrice.

– La vérité, dit-il et il se tut.

Quand le domestique et la servante furent partis et qu'ils restèrent seuls à l'étage, la nourrice s'appuya à côté de lui sur la rampe. Ils paraissaient regarder la scène qui s'étendait devant eux. En cette attitude, tournée vers la salle, dans laquelle autrefois trois personnages s'étaient trouvés réunis devant la cheminée, elle dit avec calme :

– Il faut que je te dise encore une chose. Quand Christine fut sur le point de mourir, elle t'a réclamé.

– Oui, fit le général en clignant nerveusement les yeux.

– Elle était seule avec moi, dit la nourrice d'une voix neutre. Vers l'aube, elle a prononcé ton nom, c'est toi qu'elle a appelé. Je te le dis pour que ce soir, tu ne l'ignores pas.

Le général resta muet. Au bout d'un moment cependant, il se redressa et dit :

– Je crois qu'il va arriver. Veille aux vins et sur tout le service.

Le grincement du gravier sous les roues caoutchoutées du landeau annonça effectivement l'arrivée, le général abandonna sa canne contre la rampe de l'escalier et commença à descendre les marches pour recevoir son hôte. Tout à coup il s'arrêta :

— Les bougies ! lança-t-il à la nourrice. Tu te rappelles... les bougies bleues pour la table. Les as-tu gardées ? Tu les mettras sur la table et tu les allumeras. Il faut qu'elles brûlent pendant le repas.

— Je ne m'en étais plus souvenue, dit la nourrice.

— Mais, moi, je me les rappelle, répondit le général avec obstination.

Dans son habit noir, il descendait l'escalier comme un vieillard, mais le buste droit et avec solennité. En bas, la porte du salon s'ouvrit et, dans l'embrasure, derrière le domestique apparut un homme vieux.

— Tu vois, je suis revenu encore une fois, dit l'hôte doucement.

— Je n'ai pas douté un instant que tu reviendrais, répondit le général également à voix basse et il sourit.

Puis ils se serrèrent très poliment la main.

X

I LS s'approchèrent ensuite de la cheminée, à la lumière crue projetée par une applique, tout en fermant à demi leurs yeux de vieillards, ils s'examinèrent avec l'attention et la lucidité qu'apportent les personnes âgées, lorsqu'il s'agit d'observer les apparences physiques d'autrui. Leur regard va droit à l'essentiel : marques évanescentes de la force et derniers vestiges de la joie de vivre sur le visage et dans le maintien de leurs semblables. Conrad était de quelques mois plus vieux que le général.

Avec une surprise jalouse et en même temps joyeuse, ils constatèrent chacun que l'autre avait bien supporté l'examen sévère.

« Nous nous sommes bien défendus », se dit le général.

Mais à cet instant, l'un et l'autre comprirent aussi que c'est l'attente qui leur avait donné la force de vivre au cours des dizaines d'années écoulées. Ils avaient présent à l'esprit qu'ils étaient comme les gens qui, s'étant préparés durant toute la vie à remplir une tâche, arrivent tout à coup à l'instant d'agir.

Conrad était pâle comme pendant ses années de jeunesse. Sans doute continuait-il à mener une vie casanière et à éviter l'air vif. Il portait un complet foncé. Ils se regardèrent encore un moment. Puis le domestique apporta du porto et du sherry.

– D'où viens-tu ? demanda le général.

– De Londres.

– Es-tu établi là-bas ?

– Oui, aux environs de Londres. J'y suis propriétaire d'une petite maison. Après mon retour des tropiques je m'y suis accroché.

– Où as-tu séjourné sous les tropiques ?

– A Singapour.

Il leva sa main blanche et, d'un geste vague, désigna un point en l'air, comme s'il voulait marquer dans l'espace l'endroit où il avait vécu jadis.

– Je n'y ai séjourné que ces dernières années. Auparavant, j'ai vécu en Malaisie britannique, loin à l'intérieur de la péninsule.

– On prétend que les tropiques usent rapidement les gens et les font vieillir prématurément, dit le général et il leva son verre comme pour souhaiter la bienvenue à son hôte.

– Oui, les tropiques sont terribles, répondit Conrad. Ils abrègent toute existence d'au moins dix ans.

– Selon toute apparence, ils ne t'ont pourtant pas trop malmené. Sois le bienvenu.

Ils vidèrent leurs verres et s'assirent.

– Malmené ? dit l'hôte, sur un ton interrogateur, tout en s'installant dans le fauteuil près de la cheminée, sous le cartel.

Le général suivait chacun de ses mouvements. Maintenant que son ancien ami, comme dominé par la magie des lieux, s'était assis dans le même fauteuil, à l'endroit précis où il s'était assis quarante et un ans auparavant, il se sentait comme soulagé. Enfin, tout se trouvait à sa place, estimait-il.

– Oui, les tropiques sont terribles, reprit Conrad. Les gens de notre espèce ne les supportent pas. Le climat y épuise leur constitution, consume leur organisme... et tue quelque chose en eux.

– Es-tu allé sous les tropiques pour tuer quelque chose en toi ? demanda le général.

Il posa cette question sur le ton poli de la conversation et s'assit en face de la cheminée, dans le vieux fauteuil qu'on appelait dans la famille le « siège florentin ». C'était la place qu'il occupait chaque soir avant et après le dîner quand, il y a quarante et un ans, ils s'installaient tous les trois, Christine, Conrad et lui, à bavarder au coin du feu. Les deux hommes, maintenant seuls, tournèrent leur regard vers le troisième fauteuil qui, recouvert d'une housse de soie, restait vide.

– Oui, dit Conrad calmement.

– Et y es-tu parvenu ? questionna le général.

– Je suis déjà bien vieux, dit l'hôte en reportant les yeux sur la cheminée, éludant ainsi la question.

Ils restèrent ainsi, sans parler, à fixer les bûches en flammes, jusqu'à l'arrivée du domestique qui les invita à passer dans la salle à manger.

Après qu'on eut servi les truites, Conrad commença son récit :

– Eh bien, voilà ! Tout d'abord on pense que l'on ne pourra jamais s'y habituer. Quand je suis arrivé là-bas, j'étais encore un homme jeune. Tu le sais bien, j'avais à peine trente-deux ans et j'étais sans argent. La société coloniale devait payer tous mes frais. Je partis aussitôt travailler dans une région marécageuse. Dans ces contrées, les gens vivent dans des huttes couvertes de tôle ondulée. La nuit tombée, quand on est couché, on a l'impression d'être étendu dans un chaud brouillard. Vers l'aube, cette brume s'épaissit et devient brûlante. Alors, on devient apathique, on se met à boire et on a les yeux injectés de sang. La première année, on pense qu'on va mourir sous ce ciel tropical.

– Et par la suite ? demanda le général poliment.

Conrad fit un geste découragé de la main.

– La troisième année, on remarque que l'on n'est plus le même. Le rythme de la vie s'est modifié. On vit plus vite, quelque chose se consume en nous, notre cœur bat tout à fait autrement qu'auparavant et tout nous devient indifférent. Durant des mois on ne s'intéresse à rien. Puis, il arrive un moment où l'on ne comprend plus ce qui se passe en soi et autour de soi. Parfois, ce moment se présente après cinq années de séjour, parfois dès les premiers mois. C'est la période des accès de rage. Beaucoup de gens deviennent alors des assassins ou mettent fin à leurs jours.

– Même les Britanniques ? s'enquit le général

– Plus rarement. Mais ils ne sont pas non plus immunisés contre cette folie fébrile qui – prétend-on – ne vient pas d'un microbe. Quant à moi, je suis absolument convaincu qu'il s'agit d'une vraie maladie dont la science n'a pas encore réussi à découvrir l'origine. Peut-être celle-ci se trouve-t-elle dans l'eau, peut-être dans les plantes... Peut-être dans les amourettes malaises...

– Parle-moi de ces amourettes, suggéra le général avec courtoisie.

L'hôte haussa les épaules.

– Des hommes de notre catégorie, dit-il, ne peuvent s'habituer à ces femmes-là. Il y en a pourtant de splendides parmi elles. Elles sont éternellement souriantes... Leur peau, leurs mouvements, leurs sourires et leurs coutumes, la façon dont elles vous servent à table et au lit ne sont pas sans un charme prenant... Et cependant, conclut-il en élevant la voix, on ne peut s'habituer à elles.

– Tu n'as pas non plus pu t'habituer à elles ? interrogea le général sans insister.

Conrad fit un geste de dénégation.

– Jamais ! Les Britanniques, ajouta-t-il, eux, ont su s'organiser. Ils apportent leur île dans leurs valises ; c'est-à-dire : leur orgueil poli, leur réserve souriante, les réflexes de leur bonne éducation, ainsi que leur golf et leurs courts de tennis, leur whisky et leur smoking. Certains d'entre eux se mettent chaque soir en smoking dans les huttes de tôle ondulée, au milieu des marécages. Pas tous, évidemment... Ceux qui prétendent cela racontent des balivernes. Après quatre ou cinq années, la plupart deviennent des brutes, tout comme les Belges, les Hollandais, les Français et les autres. Les tropiques leur enlèvent les manières des collèges anglais, comme la lèpre fait tomber la chair qui recouvre les os. Cambridge et Oxford ne résistent pas au climat tropical. Je suis tenté de croire que chez eux, dans les îles Britanniques, les Anglais qui ont séjourné longtemps sous les tropiques sont quelque peu suspects.

– Suspects ? questionna le général. Je ne te comprends pas.
Conrad dit, en haussant les épaules :

– Eh bien ! oui, suspects… je veux dire que personne ne leur
refuse ni la considération ni la gratitude, mais ils n'en restent pas
moins suspects. Je ne doute pas que sur quelque état signalétique
secret est portée la mention « tropiques »… et que cela équivaut
à la mention de « syphilitique » ou de « service d'espionnage ».
Celui qui est resté longtemps sous les tropiques est suspecté…
Même s'il n'a fait que jouer au golf ou au tennis, boire du whisky
à Singapour et paraître, de temps à autre, en habit ou en uniforme constellé de décorations, aux réceptions du gouverneur…
il reste suspect. Pourquoi ?… uniquement parce qu'il a vécu sous
les tropiques et, de ce fait, s'est exposé à la terrible contagion qui,
comme tous les dangers, provoque une sorte d'attirance secrète.
Les tropiques sont certainement une maladie. Les maladies tropicales sont, pour la plupart, guérissables mais, des tropiques
eux-mêmes, des gens comme nous ne peuvent jamais guérir.

– Je comprends, dit le général. Toi aussi, tu as pris cette maladie.

– Tout le monde l'attrape, continua l'hôte et, la tête rejetée en
arrière, il dégusta en connaisseur quelques gorgées de Chablis.
Celui qui ne fait que boire s'en tire à meilleur compte. Les passions là-bas sont latentes, comme les tornades au-dessus des
marais. Toutes les passions, sans exception. Voilà pourquoi le
Britannique qui n'a jamais quitté son île se méfie de tous ceux
qui reviennent des tropiques. Comment savoir ce que ces gens-
là rapportent dans leur sang, dans leur cœur, dans leurs nerfs.
Qu'ils ne soient plus des Européens ordinaires, c'est un fait
indiscutable. A quoi leur a servi de s'être abonnés aux revues
européennes et de s'être tenus au courant au milieu des marais
de tout ce que l'on a pensé ou écrit ici, loin d'eux, durant les dernières années ou les dernières dizaines d'années… De toute
façon, ils ne sont pas restés entièrement européens. En vain se
surveillent-ils parmi leurs compatriotes avec autant d'attention
qu'un ivrogne veille à sa démarche au milieu de gens sobres. Ils

exagèrent leur bonne tenue, ils sont corrects et courtois mais, au fond d'eux, il en va tout autrement.

– Vraiment ? dit le général en levant vers la lumière des chandelles son verre rempli de vin blanc. Raconte donc ce qu'il en est intérieurement.

Comme l'autre continuait à se taire, il ajouta :

– Je pensais que tu étais venu me voir justement pour me raconter cela.

Ils étaient assis aux deux bouts de la longue table de la grande salle à manger, dans laquelle aucun invité n'avait pénétré depuis la mort de Christine. Une salle à manger où, depuis des dizaines d'années, personne n'a pris de repas fait penser à une sorte de musée. Les meubles et les autres objets usuels n'y représentent plus que les objets caractéristiques d'une époque passée. Les parois en sont lambrissées à l'ancienne mode française et les meubles proviennent de Versailles. Au milieu de la table, recouverte d'une nappe blanche damassée, un vase de cristal avec des orchidées, entouré par des figurines en porcelaine, représentant le Nord, le Sud, l'Occident et l'Orient, magistrales et charmantes créations de la fabrication de porcelaine de Sèvres. Devant le général se trouve le symbole de l'Occident et devant Conrad, celui de l'Orient : sous un palmier un petit négrillon grimaçant tenant la longe d'un chameau.

Dans les candélabres posés sur la table, brûlent de grosses bougies bleues. La pièce n'est éclairée, en sus de la lueur des bougies, que par des lampes électriques voilées, placées aux quatre coins. Dans la cheminée de marbre gris, le feu de bois flambe en flammes jaunes, rouges et noirâtres. Les portes-fenêtres et les rideaux de soie grise sont entrouverts. De temps en temps, un courant d'air de la nuit pénètre dans la pièce et, à travers les minces rideaux, on aperçoit le paysage luisant au clair de lune avec, au loin, les faibles points lumineux de la petite ville endormie.

Au centre, près de la table ornée de fleurs et éclairée aux bougies, se trouve un troisième fauteuil, tournant le dos à la cheminée et recouvert d'une tapisserie des Gobelins. Christine, la femme du général, s'y asseyait autrefois.

Devant le couvert manquant, est placée l'allégorie du Sud : un lion, un éléphant et un homme à la peau bistrée, enveloppé d'un burnous, semblant monter la garde en parfaite harmonie.

Le majordome, en habit, se tient au fond de la pièce, près de la desserte, et dirige les domestiques qui, pour cette occasion, ont revêtu la livrée à la française : la culotte et le frac noir.

C'était la mère du général qui avait établi cette habitude. La maîtresse de maison étrangère avait fait venir de son pays tous les meubles, services de table, couverts en vermeil, vases et verres de cristal et même le lambris revêtant les parois de cette salle à manger. Elle avait toujours exigé que les domestiques fussent ainsi vêtus pour assurer leur service.

Il règne un tel silence dans la pièce que l'on entend le léger pétillement du feu de bois dans la cheminée. Le général et son hôte parlent à voix basse et se comprennent néanmoins, car le vieux lambris des parois chaudes répercute les paroles dites à mi-voix, comme le bois des instruments de musique fait résonner les cordes tendues.

– Non, finit par dire Conrad qui, entre-temps, avait continué à manger et à réfléchir. Non, ce n'est pas pour cela que je suis venu.

Puis il pose sa fourchette sur le bord de son assiette et lance d'une voix forte vers le maître de maison, assis à l'autre extrémité de la grande table :

– C'est toi que je voulais voir une fois encore. Voilà pourquoi je suis venu. N'est-ce pas naturel ?

– Rien n'est plus naturel au monde, répondit le général poliment. Tu es passé par Vienne. Cela devait être un grand événement pour toi, après avoir connu les tropiques et les passions tropicales. Il y avait bien longtemps que tu avais été à Vienne pour la dernière fois, n'est-ce pas ?

Le général pose cette question sans la moindre ironie dans la voix. Son hôte toutefois, à l'autre bout de la table, lève un regard

71

méfiant sur lui. Ils sont assis là, comme perdus : deux vieillards dans cette grande salle à manger, loin l'un de l'autre.

– Il y a en effet assez longtemps, répond Conrad. Plus de quarante ans. A cette époque-là, dit-il en hésitant... A cette époque-là, en route pour Singapour, je suis passé par Vienne.

– Je comprends, dit le général. Et récemment, qu'as-tu trouvé à Vienne ?

– Beaucoup de changements, répond Conrad. A mon âge, dans ma situation, on trouve partout des changements. Certes, depuis quarante et un ans, je n'avais pas remis les pieds sur le continent. De Singapour à Londres, ce n'est qu'aux escales que j'ai passé quelques heures dans les ports français. Mais je voulais voir encore une fois Vienne ainsi que cette demeure.

– Est-ce pour cela que tu t'es mis en route ? demanda le général. Est-ce parce que tu voulais revoir Vienne et ma maison ? Ou bien avais-tu aussi quelques affaires à régler sur le continent ?

– J'ai, comme toi, soixante-treize ans et je ne suis plus intéressé aux affaires. La mort est proche. C'est pourquoi je me suis mis en route et voilà pourquoi je me trouve ici.

– On prétend qu'arrivé à notre âge, on vit aussi longtemps que la vie nous intéresse, dit le général sur un ton encourageant. N'est-ce pas ton impression ?

– Elle ne m'intéresse plus, dit l'hôte sur un ton désabusé, et il poursuivit : Vienne, vois-tu, Vienne me donnait le diapason du monde. Prononcer le nom de Vienne, c'était faire résonner ce diapason. J'observais toujours en le prononçant l'effet qu'il produisait sur mes interlocuteurs. C'est ainsi que je mettais les gens à l'épreuve. Celui qui n'avait aucune réaction n'était pas mon homme. Car Vienne n'était pas seulement le nom d'une ville. Vienne rendait un son que l'on percevait – et dans ce cas, il vibrait à jamais en nous – ou que l'on ne percevait pas. Cette résonance a été la plus belle de ma vie. J'étais pauvre, mais je n'étais pas seul, parce que j'avais un ami et Vienne était devenue une sorte d'amie. Sous la pluie des tropiques, j'entendais toujours la voix de Vienne. Tout me la rappelait. L'odeur de renfermé de l'escalier de la maison de Hietzing me revenait aussi souvent, même dans les forêts vierges.

Avec une joie enfantine, le général lui coupe soudain la parole et posant son couteau et sa fourchette, il lui lance :

– C'est comme moi. Ici, il n'y a pas de forêt vierge, mais j'ai une forêt et, parfois, j'y entendais des voix qui m'évoquaient Vienne. C'est curieux, ajouta-t-il avec simplicité et bonne humeur.

Les deux amis se regardent en souriant, les yeux mi-clos.

– C'est comme la musique, dit Conrad. Tu sais bien qu'à Vienne la musique était partout, dans les pierres, dans le regard et les mouvements des êtres, dans tout ce que j'aimais ; elle y vibrait dans le cœur humain en le purifiant. Tu comprends ce que je veux dire…

Le général se penche à nouveau sur son assiette. Il mange et dit distraitement :

– Oui, je comprends.

Conrad lève son verre rempli de vin de Bourgogne et en admire la couleur rouge foncé.

– Tu comprends alors, dit-il, ce que je veux dire. C'est l'état dans lequel on se trouve, quand les passions ne sont plus douloureuses. C'est Vienne en hiver !

Le général lève la main et dit doucement, sur un ton nostalgique :

– Et Vienne au printemps !

– Oui, approuva Conrad. Les allées de Schönbrunn…

– Évidemment, dit le général. La lueur bleue… te rappelles-tu ? La lumière bleue, dans le dortoir de l'Académie militaire ?

– Et le grand escalier blanc avec les statues baroques !

– Quelquefois, dit le général, quand je suis à moitié endormi, je songe aux promenades à cheval sur le Prater et aux chevaux blancs de l'École d'équitation de la Cour.

Ils se regardent un peu gênés et malicieusement.

– Je me rappelle nettement tout cela, dit Conrad doucement. Et c'est tout cela que je voulais revoir encore, ajoute-t-il à voix basse.

73

– Et maintenant, quarante et un ans plus tard, qu'as-tu trouvé à Vienne ? répète le général.

– Une ville, répond Conrad en levant les épaules, une ville transformée…

– Ici, tu n'as pas à craindre une déception de ce genre, dit le général. Pour ainsi dire rien n'y a changé.

– N'as-tu pas voyagé ces dernières années ?

– Très peu, répond le général en fixant les lueurs des bougies. Je n'ai fait que des voyages de service. A un moment donné, j'ai voulu quitter l'armée, comme tu l'as quittée toi même. Oui, j'ai parfois songé à renoncer à la carrière militaire, à parcourir le monde, à muser, à faire des recherches pour trouver quelqu'un ou quelque chose.

Les amis évitent maintenant de se regarder. L'hôte fixe son verre de cristal rempli de vin rouge et le général, la flamme des bougies.

– Mais, finalement, je suis resté, dit-il avec calme. Tu sais bien ce que c'est… la servitude militaire ! Peu à peu on durcit, on s'entête. De plus, j'avais promis à mon père de rester dans l'armée jusqu'au bout. C'est pourquoi j'y suis resté. Certes, j'ai pris ma retraite prématurément. A cinquante ans, on voulait me confier le commandement d'un corps d'armée. C'est alors que j'ai demandé à me retirer… On a admis mes raisons et ma démission a été acceptée. D'ailleurs, avec les temps qui ont suivi, le métier militaire n'offrait plus aucune satisfaction, ajoute-t-il après une courte pause et il fait signe au domestique de remplir les verres. C'était l'époque de la révolution, des changements.

– Oui, approuve l'hôte. J'en ai entendu parler.

– Tu en as entendu parler ? Nous, nous l'avons vécu, dit le général sur un ton sévère.

– Peut-être n'en ai-je pas uniquement entendu parler, rétorque l'autre. C'est seulement vers la fin de la guerre[1] que je suis retourné pour la seconde fois sous les tropiques. Le champ de

1. La guerre de 1914-1918.

mon activité se trouvait au beau milieu des marais et je n'avais autour de moi que des coolies chinois et malais. Les Chinois sont préférables. Ils perdent au jeu jusqu'à leur dernière chemise, mais ils travaillent mieux. Nous vivions au plus profond d'une région marécageuse et dans la forêt vierge. Nous n'avions ni téléphone ni radio à notre disposition. Dans l'univers la guerre faisait rage. A cette époque-là, j'étais déjà sujet britannique, mais les autorités anglaises se montrèrent très compréhensives à mon égard ; elles admirent que je ne pouvais me battre contre le pays où je suis né. Les Britanniques comprennent fort bien des choses pareilles.

Le général dit avec calme et sympathie :

– Ceci a dû te soulager.

Conrad lève la tête.

– Me soulager ? Moralement, c'est la seule solution. Voilà pourquoi j'ai été autorisé à retourner sous les tropiques. Là-bas, nous ne savions rien du monde. La radio à cette époque-là était encore une rareté. Les coolies étaient les moins bien placés pour connaître les événements, sans journaux, sans T.S.F. à une semaine des nouvelles du monde. Pourtant, un jour, ils ont cessé le travail, à midi juste, sans aucune raison apparente. Rien autour d'eux n'avait changé... Les conditions de travail et les mesures disciplinaires étaient ce qu'elles étaient auparavant. Leur alimentation, également. Tout cela n'était pas spécialement bon ni mauvais ; tout était comme cela pouvait être, comme cela devait être là-bas. Donc un jour...

– Quand était-ce au juste ? demande le général. Je veux dire peux-tu te rappeler exactement en quelle année ?

Conrad répond avec un souci réel d'exactitude :

– Je puis te le dire avec précision. En 1917. Un jour, à midi juste, ils déclarèrent ne plus vouloir travailler. Quatre mille coolies, le torse nu, couverts de boue jusqu'à mi-corps, sortirent des taillis et déposèrent leurs outils, les haches et les bêches. Ils déclarèrent qu'ils en avaient assez et formulèrent toutes sortes de revendications. Le pouvoir disciplinaire devait être enlevé aux propriétaires. Ils réclamaient des augmentations de salaire et davantage de repos. Nous n'arrivions pas à comprendre quelle mouche les avait piqués. Sous mes yeux, quatre mille coolies se changèrent en quatre mille diables jaunes et bruns. Dans l'après-midi, je galopai à Singapour et j'ai été ainsi l'un des premiers sur la péninsule à apprendre l'événement.

— Quel événement as-tu appris ? demande le général en se penchant en avant.

— J'ai appris qu'en Russie, la révolution avait éclaté. Lénine, dont on ne connaissait alors que le nom, rentra en Russie dans un wagon plombé avec, dans les bagages, le bolchevisme. La nouvelle en parvint à Londres le même jour que l'apprirent les coolies dans les marais entourés de forêts. Je trouvai cela incompréhensible, inconcevable. Plus tard je suis arrivé cependant à comprendre que les hommes apprennent d'instinct ce qui a de l'importance pour eux.

— Le crois-tu vraiment ? s'informa le général.

— J'en suis persuadé, répond Conrad et, sans transition, il demande : Quand Christine est-elle morte ?

— Comment sais-tu que Christine est morte ? demande à son tour le général simplement.

— Elle n'est pas assise entre nous deux, dit l'hôte également avec calme. Où donc pourrait-elle être, sinon dans la tombe ?

— Elle est enterrée dans le parc, dit le général. Près de la serre, comme elle l'avait voulu.

— Y a-t-il longtemps qu'elle est morte ?

— Huit ans après ton départ, dit le général et il se met à compter à mi-voix. Si elle était encore en vie, elle aurait maintenant soixante et un ans. Oui, elle serait une vieille femme, comme nous sommes des hommes vieux.

— De quoi souffrait-elle ?

— On a diagnostiqué une anémie pernicieuse. Une maladie assez rare.

— Pas si rare que cela, répond Conrad. Sous les tropiques, elle est même fréquente. Les conditions de vie des hommes se modifient là-bas et la composition du sang s'en trouve altérée.

– C'est bien possible, répondit le général. Il se peut qu'en Europe aussi elle soit assez fréquente, lorsque les conditions de vie sont changées. Je ne suis pas expert en cela.

– Je n'y connais pas non plus grand-chose. Sous les tropiques, il manque toujours quelque chose au corps humain. Aussi y devient-on peu à peu charlatan. Les Malais font sans cesse les guérisseurs. Elle est donc morte en 1918, conclut-il enfin, comme s'il énonçait le résultat d'un long et compliqué problème de calcul. Étais-tu encore dans l'armée à cette époque-là ?

– Oui, j'ai fait la guerre jusqu'au bout.

– Comment était-elle ?

– La guerre ? demande le général. Elle était aussi terrible que les tropiques. Le dernier hiver dans le Nord a été atroce. Oui, ici en Europe aussi, la vie réserve aux hommes suffisamment d'aventures, termine-t-il en souriant ironiquement.

– Des aventures ? Oui, c'est possible, approuve l'hôte. Tu peux croire que j'ai bien souvent souffert de n'être pas dans mon pays pendant que vous vous battiez. Parfois, je songeais à rentrer et à me présenter à mon régiment.

– D'autres au régiment y ont aussi pensé, dit le général poliment mais avec fermeté. Mais pour finir, tu ne t'es pas présenté. Sans doute avais-tu encore d'autres affaires à régler.

– J'étais alors déjà citoyen britannique, reprend Conrad avec embarras. Et on ne peut changer de nationalité tous les dix ans !

– Évidemment, approuva le général. Je suis même d'avis que l'on ne peut en aucun cas changer de nationalité. Seuls nos papiers peuvent être modifiés. N'as-tu pas la même opinion ?

– Ma patrie n'existe plus, dit Conrad. Pour moi, la patrie c'était la Pologne, Vienne, cette demeure-ci, les casernes de la capitale, la Galicie et Chopin. Qu'en est-il resté ? Le lien mystérieux qui a tenu tout cela ensemble a disparu. Tout a été démembré[1]. La patrie, pour moi, était un sentiment. Or ce sen-

---

1. Allusion à la décomposition de l'Autriche-Hongrie après la guerre de 1914-1918.

timent a été bafoué. Dans des cas pareils, on doit partir sous les tropiques ou même plus loin.

– Plus loin ? Où donc ? demande le général sèchement et, pour changer le tour de la conversation, il lève son verre et dit : Ce vin est d'une année dont tu te souviendras peut-être. L'année 1886. C'est l'année où nous avons prêté serment[1]. Pour commémorer ce grand jour, mon père fit remplir de ce vin un fût de notre cave. Il y a de cela bien des années, presque une vie entière. C'est maintenant un vin très vieux.

– Les valeurs et les hommes pour lesquels nous avions prêté serment n'existent plus, dit l'hôte sur un ton très grave, en levant lui aussi son verre. Tous sont morts ou partis, ils ont renoncé à ce que nous avions juré de défendre. Il existait autrefois un ordre mondial pour lequel il valait la peine de consacrer sa vie ou de mourir. Ce monde-là est mort. Avec l'ordre nouveau, je n'ai rien de commun. C'est tout ce que j'ai à dire à ce sujet.

– Pour moi, le monde d'autrefois reste vivant, même si en apparence il a disparu. Il vit, parce que je lui ai prêté serment de fidélité. Pour moi, c'est tout ce qu'il y a à dire à ce sujet, dit le général.

– Oui, tu es resté un vrai militaire, répond Conrad.

Leurs verres levés, ils s'adressent un salut et boivent sans ajouter un mot.

---

1. Serment de fidélité à l'empereur et roi François-Joseph.

XI

– A PRÈS ton départ, nous avons cru longtemps que tu reviendrais, reprend amicalement le général, comme si tous deux en avaient terminé avec l'essentiel, avec le plus pénible, et comme s'ils n'avaient plus maintenant qu'à bavarder un petit moment. Tout le monde t'attendait ici, parce que chacun avait de l'amitié pour toi. Ta conduite était certes un peu bizarre – excuse-moi de te le dire franchement – mais nous comprenions ton originalité, car nous savions bien que, pour toi, la musique passait avant tout. Ton départ nous a surpris, mais nous l'avons néanmoins admis, car nous pensions que, sans aucun doute, des raisons sérieuses le motivaient.

Conrad, ayant écouté très attentivement, demande d'une voix hésitante :

– Auriez-vous trouvé une explication à ma démission de l'armée ?... Je veux dire...

Le général l'interrompt :

– Nous savions bien que tu supportais tout plus difficilement que nous, les vrais militaires. Ce qui pour toi ne représentait qu'une situation était pour nous une mission et une vocation. Ce que tu portais comme un masque était notre vrai visage. Voilà pourquoi nous ne fûmes pas étonnés de te voir rejeter le masque. Nous pensions cependant qu'un jour tu reviendrais ou que, tout au moins, tu donnerais de tes nouvelles. Nous étions nombreux à être de cet avis. J'avoue que moi-même je le croyais.

Comme tu peux te l'imaginer, c'est aussi ce que pensaient quelques camarades de notre régiment.

– Non, fit Conrad. Le monde n'a rien à voir en cette affaire. Vois-tu, ce qui a de l'importance pour nous, jamais nous ne le perdons de vue. Je n'ai compris cette vérité que beaucoup plus tard, oui, en somme à un âge avancé. Par contre, les choses secondaires ne vivent pas longtemps, elles se dissipent comme les songes. Moi, par exemple, je ne me souviens plus du régiment. Depuis un certain temps, je ne me rappelle plus que les choses essentielles.

– Mettons Vienne et cette demeure, n'est-ce pas ? Est-ce bien cela que tu voulais dire ? interroge le général.

– En effet, Vienne et cette demeure, reprend Conrad en regardant devant lui, les paupières mi-closes. Le souvenir est un crible merveilleux qui filtre tout. En dix ou vingt ans, on découvre que de grands événements n'ont laissé aucune trace en vous. Mais, un jour, nous nous rappelons une chasse ou une certaine page dans un livre, ou cette pièce-ci. Quand nous avons dîné ici, pour la dernière fois, nous étions trois. Christine était assise là, au milieu. Et ce même surtout garnissait la table.

– Tu as raison, dit le général. Devant toi : la figure de l'Orient, devant Christine : celle du Sud et devant moi : celle de l'Occident.

– Tu te souviens même de ces détails ? demande l'hôte avec une légère surprise dans la voix.

– Oui, je me souviens de tout.

– Certes, les détails ont parfois une importance extraordinaire ; ils lient tout ensemble et servent de support à la mémoire. Sous les tropiques, j'ai souvent pensé à cela, surtout les jours de pluie. Oh ! Cette pluie des tropiques ! continua-t-il comme s'il entamait un nouveau sujet de conversation. Parfois, il pleut sans arrêt durant des mois. Les gouttes de pluie crépitent sur les toits en tôle ondulée comme le tir d'une mitrailleuse. Les marais fument, tout ce qui vous entoure est humide : les draps, le linge, les livres, le tabac dans les boîtes de fer-blanc ainsi que le pain. Tout est poisseux. Les Malais chantent, la femme qu'on a installée chez soi est assise, sans bouger, dans un coin de la pièce, elle vous regarde fixement. Elles peuvent rester ainsi pendant des heures.

– C'est sinistre, dit le général. Et comment sont-elles pour le reste, ces femmes-là?...

– Tout d'abord, on ne prête nulle attention à elles, dit l'hôte en haussant les épaules. Puis on perd patience et on les chasse. Mais cela ne sert à rien, car vois-tu elles s'installent dans une autre pièce de la maison et elles vous observent à travers les parois. Elles ont en général de grands yeux bruns comme les chiens du Tibet, qui sont les animaux les plus sournois de la création. Elles vous regardent avec ces yeux brillants et tranquilles qui vous suivent où que vous alliez. On sent perpétuellement ce regard posé sur soi et qui vous poursuit comme un rayon maléfique. Si on les accable d'injures, elles se contentent de sourire. Si on les renvoie, elles s'asseyent sur le seuil et regardent devant elles. Alors, on ne peut faire autrement que de les rappeler.

Les amis se taisent, puis le général demande comme incidemment:

– Ces femmes-là, tu as bien fini par les connaître?

L'hôte ne répond pas immédiatement et se remet ensuite à parler rapidement:

– Elles mettent sans cesse des enfants au monde, mais personne n'en parle; elles, moins que les autres. C'est comme si tu gardais chez toi un animal, une criminelle, une prêtresse, une fée et une démente en une seule femme. Finalement on se lasse. Ce regard est si puissant qu'il finit par avoir raison des hommes les plus forts. C'est à la fois violent comme un coup et doux comme une caresse. C'est à devenir enragé!

– As-tu fini par t'accoutumer à elles? demande le général.

Sans lever les yeux sur lui, Conrad continue sur un ton ennuyé:

– A la fin, on devient indifférent. La pluie tombe, on boit de l'eau-de-vie, énormément, et avec cela on fume un tabac douceâtre. De temps à autre, arrive un visiteur, mais il ne dit pas grand-chose. Il boit lui aussi de l'eau-de-vie et fume le tabac douceâtre. On aurait envie de lire, mais la pluie qui tombe vous en empêche... Elle dilue pour ainsi dire les lignes et on n'en saisit plus le sens. On écoute le bruit de l'eau. On voudrait jouer du piano, mais la pluie s'installe près de vous et vous accompagne. Puis, il cesse enfin de pleuvoir. Vient la période de sécheresse, un scintillement vaporeux. Oui, sous les tropiques, on vieillit vite.

— As-tu parfois joué la *fantaisie polonaise* là-bas? demande le général aimablement.

Les deux amis mangent maintenant de la viande saignante avec grand appétit. Ils s'appliquent à la mâcher à la façon des vieillards, pour lesquels manger ne signifie pas seulement s'alimenter mais constitue aussi une action grave qui donne des forces. Ils se consacrent à leur nourriture avec sérieux et ne se préoccupent guère de manger avec distinction. Ils mangent méthodiquement et solennellement comme des chefs de tribu à un repas cérémoniel.

Du fond de la salle, le majordome suit d'un regard attentif les évolutions des domestiques. Ceux-ci versent le champagne et les deux vieillards regardent avec plaisir le liquide doré qui pétille dans les coupes de cristal. Ayant fait honneur tant aux mets qu'aux boissons, ils ont l'un et l'autre le visage cramoisi. Le général ne boit pas son champagne. Il fait signe au domestique de lui verser encore du vin rouge et dit :

— Du temps de mon grand-père, on mettait une pinte de vin devant chaque invité. Mon père m'a raconté qu'à la table du roi également on plaçait devant chaque invité une carafe de vin ordinaire qu'on appelait « vin de table », et dont les invités buvaient à volonté. Les vins de marque étaient servis à part. C'était la coutume établie pour le service des vins à la Cour.

— En effet, approuve Conrad. A cette époque-là tout était encore parfaitement ordonné.

— Le roi était assis là, à la place d'honneur, dit le général en indiquant d'un coup d'œil le milieu de la table, et entraîné par ses souvenirs, il ajoute : A sa droite, il y avait ma mère et à sa gauche, le curé. Après le dîner, il a invité ma mère à danser. Vois-tu, de nos jours, il n'est plus possible de parler de ces choses-là avec personne. Pour cela aussi, je suis content que tu sois revenu. Un jour, tu as joué la *fantaisie polonaise* de Chopin avec ma mère. Ne l'as-tu pas rejouée sous les tropiques ?

Conrad cherche à se rappeler et finit par dire :

– Non, je n'ai jamais joué de Chopin sous les tropiques. Tu ne dois pas oublier que la musique réveille bien des choses en moi et que, là-bas, on est bien plus impressionnable.

Maintenant qu'ils ont mangé et bu, la gêne orgueilleuse de la première demi-heure s'est dissipée. Le sang circule plus vite dans leurs artères sclérosées, sur leur front et sur leurs tempes les veines sont gonflées. Les domestiques apportent des fruits mûris en serre et les deux vieux se régalent de raisins et de nèfles. Entre-temps, la salle s'est échauffée et la légère brise de la soirée fait flotter, de temps à autre, les rideaux gris devant la porte-fenêtre à moitié ouverte.

– Il est peut-être préférable que nous prenions le café là-bas, propose le général.

Au même instant, un coup de vent ouvre la fenêtre toute grande. Les rideaux sont soulevés et le grand lustre de cristal se balance doucement, comme sur les grands paquebots lorsqu'une tempête se déchaîne. Le ciel s'illumine, un éclair jaune soufre fend la nuit comme l'épée dorée d'un chevalier qui s'abat sur sa victime. L'orage envahit la pièce et le vent éteint ou affole la flamme de la plupart des bougies. Soudain, tout est plongé dans l'obscurité. Le marjordome avance en tâtonnant pour fermer les battants de la porte-fenêtre. Ce n'est qu'alors que l'on remarque que la ville est, elle aussi, privée de lumière. La foudre est tombée sur la centrale électrique. Dans l'obscurité, les deux amis se taisent. Seul le feu de bois et deux bougies que le vent n'a pas éteintes éclairent la pièce. Puis les domestiques apportent d'autres candélabres.

– Oui, nous allons nous installer là-bas, reprend le général sans honorer la foudre et l'obscurité du moindre commentaire.

Un domestique les éclaire avec un chandelier tenu à bout de bras. Dans cet éclairage lugubre, chancelants et vacillants, comme leurs ombres projetées sur les murs, ils se rendent en silence, à travers des salons froids, de la salle à manger dans une pièce où ne se trouvait qu'un piano à queue grand ouvert et trois fauteuils près d'un gros poêle de faïence. Ils s'installent et, à travers les rideaux blancs des fenêtres, contemplent le paysage sombre. Le domestique place le café, des cigares et des liqueurs sur une petite table, à leur portée, et pose sur le bord du poêle un chandelier d'argent, garni de chandelles de la grosseur d'un bras d'enfant. Puis, les amis allument leurs cigares et restent un bon moment sans parler. Les jambes allongées, ils jouissent de la bonne chaleur que répand le feu de bois.

XII

– **N**OUS n'en avons plus pour longtemps à vivre, déclare le général en guise de conclusion à ses réflexions muettes. Une ou deux années, peut-être même pas autant. Nous ne vivrons plus longtemps, puisque te voilà revenu. Tu le sais toi-même parfaitement.

– Oui, je le sais, dit Conrad tranquillement.

Le général reprend :

– Quarante et une années, c'est long ! Tu as bien réfléchi avant de prendre ta décision, n'est-ce pas ?... Mais, finalement tu es revenu, parce que tu ne pouvais faire autrement. Et moi, je t'ai attendu, car je ne pouvais pas non plus faire autrement. Et, nous savions, l'un et l'autre, que nous nous reverrions une fois encore, puis que ce serait la fin. Est-ce bien cela ?

– Oui, c'est bien cela, répond Conrad.

– On dirait que les hommes restent sur terre tant qu'ils ont quelque chose à y faire, dit le général en souriant d'un air gêné, comme les vieilles gens qui abusent des lieux communs. Je vais maintenant te révéler ce que j'ai découvert dans la forêt pendant ces quarante et une années, tandis que tu courais le monde. C'est que parfois la solitude est aussi bien singulière... Elle nous réserve autant de surprise et de périls qu'une forêt vierge. J'en connais toutes les variantes. D'abord l'ennui que l'on cherche en vain à chasser en dressant un plan d'activités artificielles, puis les révoltes subites... Oui, la solitude est aussi remplie de mystère que la jungle...

– Que veux-tu dire ? demande Conrad sur un ton mal assuré.

– Tel individu mène une existence parfaitement ordonnée, dit le général, puis un beau jour, il se dérègle comme tes Malais. Il est installé dans un appartement confortable, il est entouré de gens titrés et haut placés ; bref, sa manière de vivre a été organisée avec raffinement. Mais un jour, cet individu n'en peut plus, et se sauve, une arme à la main ou sans arme... et dans ce dernier cas, il est encore plus dangereux. Il se lance à travers le monde, le regard apeuré à tel point qu'amis et camarades le fuient. Il plante sa tente dans les grandes villes, achète des femmes, cherche et trouve partout matière à dispute et autour de lui, tout saute en l'air. Mais ceci n'est nullement le pire, comme je te le disais.

– Qu'est-ce qui pourrait être pire ? demande Conrad.

Le général ne prête pas garde à lui et continue toujours à mi-voix :

– Il se peut qu'au cours de sa folle randonnée quelqu'un l'abatte comme un chien enragé, il se peut qu'il se rompe le cou en se précipitant contre un mur. Le pire, c'est de refouler les passions que la solitude a accumulées en nous. Celui qui fait cela ne s'enfuit pas et ne tue personne. Que fait-il donc ? Il vit dans l'attente et son existence est strictement ordonnée. Il vit comme les religieux d'un ordre régulier ou d'une confrérie laïque... mais les religieux s'en tirent aisément car ils possèdent la foi. L'homme qui a livré son âme et son sort à la solitude n'a pas la foi. Il ne fait qu'attendre. Il attend le jour et l'heure où il lui sera donné de tirer au clair tout ce qui l'a obligé à devenir solitaire, de débattre cela avec ceux qui l'ont poussé à la solitude. Durant dix ans ou quarante ou, très exactement, quarante et un ans, il se prépare à ce moment-là, comme on se prépare à se battre en duel... Il prend ses dispositions afin de ne devoir rien à personne, s'il était éventuellement tué en combat singulier. Il s'exerce quotidiennement, comme le font les duellistes de profession.

– Il s'exerce à quoi ? questionne Conrad.

Le général s'empresse de répondre :

– A quoi ? A ce que ses pensées, sa solitude et le temps qui s'écoule ne réconcilient rien dans son âme et dans son cœur. Il existe en effet un combat singulier auquel il vaut la peine de se préparer la vie durant, même si ce duel se fait sans armes. Rien n'est plus dangereux au monde que ce duel-là. Un jour, le moment de ce combat arrive pour l'homme solitaire. Es-tu du même avis ?

– Absolument du même avis, dit l'hôte.

– Je me réjouis de ce que tu partages mon opinion, continue le général. Cette attente stimule et maintient la vie. Naturellement, elle a ses limites. Si je n'avais su que tu reviendrais un jour, je serais sans doute parti à ta recherche… peut-être hier, peut-être il y a vingt ans. Je t'aurais certainement trouvé, où que tu fusses… dans ta maison, près de Londres ou sous les tropiques, parmi tes Malais ou même au fin fond de l'enfer. Tu le sais bien.

– Oui, je le sais, dit l'hôte calmement.

Mais le général ne semble pas l'entendre et dit aussitôt :

– Il semble qu'on apprenne tout seul les choses vraiment importantes. Tu as raison en disant qu'on les apprend sans l'aide du téléphone ou de la T.S.F. Ici, dans ce château, je n'ai pas de téléphone ; il n'y a pas non plus d'appareil de radio, car j'ai interdit une fois pour toutes qu'on laissât pénétrer les rumeurs stupides du monde dans les pièces que j'habite. Le monde extérieur ne possède pas d'armes contre moi. De nouveaux systèmes mondiaux peuvent bien détruire la forme de vie dans laquelle je suis né et dans laquelle j'ai vécu. Des forces ennemies en fermentation peuvent m'anéantir, me ravir la liberté et la vie. Tout cela me laisse indifférent. Ce qui est important, c'est que je ne pactise pas avec le monde que j'ai jugé et que j'ai exclu de mon existence. Mais sans aucun des moyens de communication modernes, j'ai su que tu étais vivant et qu'un jour tu reviendrais. Je n'ai pas hâté la venue de ce moment, mais j'étais décidé à l'attendre, comme nous attendons l'heure et la solution des problèmes qui nous concernent. Ce moment-là est arrivé.

– Qu'entends-tu par là ? demande Conrad. Je suis parti et j'en avais le droit. Sans doute avais-je aussi mes raisons pour cela. Il est vrai que je suis parti brusquement et sans prendre congé. Mais tu savais et tu t'es rendu compte que je ne pouvais faire autrement, car telle était ma destinée.

– Tu ne pouvais agir autrement ? interrogea le général en levant la tête. C'est justement le problème dont il s'agit, au sujet duquel je me creuse la tête depuis bien longtemps... tout compte fait, depuis exactement quarante et un ans.

L'autre se taisant, il continue :

– Maintenant que je suis vieux, je pense souvent à ma jeunesse. C'est certainement une chose naturelle. On se rappelle plus nettement et plus intensément le commencement, quand la fin approche. Je vois des visages et j'entends des voix. Je me revois avec précision au moment ou je t'ai présenté à mon père, dans le jardin de l'Académie militaire. Il t'a alors accueilli en ami, parce que tu étais mon ami, et il ne prenait pas n'importe qui en amitié. Il ne parlait pas beaucoup, mais on pouvait compter sur ce qu'il disait jusqu'à la mort. Te souviens-tu de cette présentation ?... Nous nous trouvions sous les marronniers, devant la grande porte d'entrée, et mon père t'a tendu la main. « Je sais, dit-il, que tu es l'ami de mon fils. Veillez tous deux à honorer cette amitié », ajouta-t-il Je crois que pour lui rien n'était plus important dans la vie que l'honneur. M'écoutes-tu ? demande le général.

Assis confortablement, les bras croisés sur la poitrine et le dos appuyé, Conrad dit avec résignation :

– Mais oui, je t'écoute.

– Je t'en remercie, reprend le général gravement. Je vais donc te raconter ce qui s'est passé. Je m'efforcerai de relater les choses point par point. Ne t'inquiète pas. La voiture t'attend en bas et te reconduira en ville dès que tu le désireras. Tu n'auras pas à passer la nuit sous mon toit, si tu ne le désires pas. Je veux dire qu'il ne te serait peut-être pas agréable de dormir ici. Mais naturellement, si cela te fait plaisir, tu peux rester.

Quand l'autre décline son offre d'un geste, il reprend :

– Comme il te plaira. Mais auparavant il faut que tu m'écoutes.

– Je t'écoute attentivement.

– Évidemment, poursuit le général sur un ton plus animé, nous pourrions aussi parler d'autre chose. De vieux amis ont toute espèce de souvenirs en commun. Cependant, puisque te voilà, il est préférable que nous ne parlions que de la vérité. J'ai commencé par rappeler que mon père t'avait reçu en ami. Tu sais très bien ce que cela signifiait pour lui. Tu n'ignores pas qu'un homme auquel il avait tendu la main pouvait compter sur son assistance en toutes circonstances et jusqu'au dernier souffle. Certes, il ne serrait pas la main de n'importe qui… mais lorsqu'il l'avait fait, c'était pour lui un engagement sacré. C'est ainsi qu'il t'avait tendu la main sous les marronniers de l'Académie. Nous avions alors douze ans. Cette poignée de main mettait le point final à notre enfance. Parfois, la nuit, je le vois tout à fait clairement et nettement, de même que tout ce qui conserve encore de l'importance pour moi. Pour mon père, le mot « amitié » était tout à fait synonyme d'« honneur ». Tu le savais d'ailleurs puisque tu le connaissais bien. Et permets-moi de te dire que, pour moi, l'amitié signifiait sans doute encore davantage. Tu m'excuseras, si ce que j'ai à te dire ne te convient pas entièrement, dit-il doucement.

– Cela me conviendra certainement, répond Conrad aussi doucement. Dis-le donc sans hésiter.

Comme en débat avec lui-même, le général reprend :

– Mais l'amitié, est-ce que cela existe ? Ce disant, je n'entends pas l'explosion occasionnelle de joie qu'éprouvent deux personnes en se rencontrant du fait qu'à un moment donné de leur vie, elles sont du même avis sur certains points, ont les mêmes goûts et s'accordent au sujet de leurs distractions. Tout cela ne caractérise pas l'amitié.

– Alors, toi, qu'entends-tu par le mot amitié ? demande Conrad avec intérêt.

– Avec l'âge, réplique le général, je pense que l'amitié pourrait bien être le sentiment le plus fort du monde… que c'est à cause de cela qu'elle est si rare. Et sur quoi repose-t-elle ?… Est-ce sur la sympathie ?… Non, le mot est impropre. On ne peut pas dire par exemple que par pure « sympathie » deux personnes répondent l'une de l'autre dans les circonstances les plus critiques de la vie. Peut-être le fondement de l'amitié est-il différent ?…

– Mais que penses-tu donc ? demande Conrad. Dis-le une bonne fois.

Le général répond lentement, en cherchant ses mots.

– Peut-être au fond de tous liens humains y a-t-il quelque chose du dieu de l'Amour,… d'Éros ?

Conrad réfléchit un moment et demande :

– Éros ? Comment en arrives-tu à penser cela ?

Le général dit, comme en s'excusant :

– Au cours de mes promenades solitaires dans la forêt, je me suis souvent laissé aller à des considérations de ce genre, faute d'autres occupations, et je me suis efforcé de comprendre les rapports entre les hommes… Naturellement, l'amitié est autre chose que le penchant maladif de ceux qui cherchent une sorte de satisfaction monstrueuse auprès d'êtres du même sexe… l'Éros de l'amitié n'a pas besoin des corps. Pour cet Éros-là, le corps est plutôt une gêne qu'un attrait. Et pourtant il n'en est pas moins un dérivé de l'amour, dit-il en élevant la voix. Au fond de toutes les affections et de tous les liens humains nous trouvons Éros. Il faut que je dise que durant ces années-là, j'ai beaucoup lu.

– Autrefois, dit Conrad, tu n'avais pas l'habitude de lire.

– En effet, approuve le général, autrefois je ne lisais pas. Mais, de nos jours, les livres s'expriment bien plus librement. Pour finir, je suis arrivé à penser que l'amitié est le lien humain le plus noble ; je n'en connais pas qui le surpasse en noblesse. Toi qui as parcouru le monde, peut-être as-tu une opinion différente à ce sujet que celle que je me suis faite ici, dans la solitude ?

– Non, dit Conrad tranquillement. Nous sommes du même avis. L'amitié est une sorte de passion.

– Tu as raison, reprend le général. D'ailleurs, l'amitié existe aussi chez les animaux, qui connaissent aussi le désintéressement et l'entraide. Un prince russe – son nom m'échappe – a publié des études sur cette question... Des lions, des coqs de bruyère et toutes espèces de créatures supérieures ou inférieures cherchent à aider leurs congénères, tombés dans l'adversité... Oui, j'ai observé moi-même que parfois ils portent secours même à des êtres d'espèces différentes de la leur. As-tu constaté chose pareille à l'étranger?...

– Qu'entends tu par là? Tu le sais bien, on trouve partout la même sorte d'amitié.

Le général sourit aussi.

– Non, je ne pense pas que l'amitié y soit différente, qu'elle y soit plus évoluée et plus conforme à l'esprit du siècle que dans notre monde arriéré. Les créatures vivantes organisent partout des actions d'aide et d'assistance mutuelles... parfois elles ne surmontent les obstacles dressés sur la voie des opérations d'entraide qu'avec beaucoup de peine, mais dans toutes les communautés vivantes, on trouve toujours néanmoins des êtres forts, prêts à porter secours. Comme je viens de le dire, je l'ai constaté souvent dans le règne animal. Par contre, parmi les hommes, je n'ai noté chose pareille que rarement, ou – plus exactement – je n'y ai pas remarqué un seul cas semblable. Les liens de sympathie qui se sont noués devant mes yeux entre les humains ont invariablement sombré dans les marécages de la vanité et de l'égoïsme.

Conrad lève la tête et demande :

– En toutes circonstances?

Le général réplique aussitôt d'une voix ferme :

– En toutes circonstances. Parfois, des liens entre camarades ou associés donnent l'impression d'être des liens d'amitié. Dans la société humaine, des intérêts communs créent parfois des relations qui ressemblent à celles de l'amitié. Enfin, pour fuir la solitude, les hommes se livrent à toute espèce de confidences qu'ils regrettent ensuite. Mais, durant un moment, ils ont l'impression que leurs confidences sont une preuve d'amitié. Naturellement, tout cela n'est pas la vérité.

– Selon toi, qu'est-ce qui est la vérité ? demande Conrad froidement.

Pour la première fois, au cours de cette conversation, il paraît froissé.

Le général ne semble pas l'avoir entendu et continue :

– Mon père estimait encore que l'on devait l'amitié comme un service. L'ami, pas plus que l'amant, n'a le droit d'exiger la récompense de ses sentiments… il ne devrait pas considérer comme surnaturel l'être choisi mais, connaissant les défauts de celui-ci, il devrait l'accepter avec ses défauts et toutes les conséquences de ces défauts. Ce serait l'idéal.. et je me demande souvent si dans cet idéal, il vaudrait la peine d'être un homme et de vivre ?

Conrad lui demande avec intérêt :

– Tu te demandes… ou tu me demandes ?

– Je ne me le suis jamais demandé qu'à moi-même. Je me suis demandé si un ami qui nous a déçu, parce qu'il n'était pas un véritable ami, doit être blâmé pour son caractère ou pour son manque de caractère ? A quoi sert une amitié dans laquelle nous n'apprécions réciproquement que la vertu, la fidélité et la constance ? N'est-il pas de notre devoir de rester aux côtés aussi bien de l'ami infidèle que du fidèle, prêt à nous sacrifier ?

– Je voudrais savoir à qui tu poses cette question, dit Conrad.

Le général le regarde et répond :

– A nous deux. Je me suis souvent demandé si la véritable essence de tous les liens humains n'est pas le désintéressement qui n'attend ni ne veut rien, mais absolument rien de l'autre et qui réclame d'autant moins qu'il donne davantage. Lorsque l'on fait don de ce bien suprême qu'un homme peut donner à un autre homme, je veux dire la confiance absolue et passionnée, et lorsqu'on doit constater que l'on n'est payé que d'infidélité et de bassesse… a-t-on le droit d'être blessé et de crier vengeance ?

Conrad reste immobile dans son fauteuil et demande d'une voix enrouée :

– Tu parles de vengeance ?...

– Il faut que je te dise toute ma pensée. Oui, je parle de vengeance. Mais celui qui est offensé et veut se venger, l'homme déçu, trompé et abandonné, était-il vraiment un ami ?... Vois-tu, ce sont les questions auxquelles je me suis efforcé de répondre quand je suis resté seul. La solitude ne m'a naturellement pas apporté de réponse. Les livres eux-mêmes ne m'ont pas donné de solutions satisfaisantes, pas plus les livres anciens – œuvres de penseurs chinois, juifs et romains – que les livres modernes qui ont, il est vrai, leur franc-parler, mais qui ne contiennent que des mots et des mots et non pas la vérité. D'ailleurs, quelqu'un a-t-il jamais écrit la vérité ?

– Je ne le crois pas, dit Conrad d'un ton bref. Les livres que j'ai lus sous les tropiques ne m'ont pas apporté la vérité. Moi aussi, j'ai eu le temps de réfléchir à ce sujet.

Le général approuve d'un mouvement de la tête et reprend :

– J'y ai beaucoup pensé à l'époque où j'ai commencé à faire des recherches dans les livres. Le temps passait, mais les livres n'ont pas pu me renseigner. La vie autour de moi avait tellement changé... elle était comme plongée dans le crépuscule, comprends-tu ? Dans les livres et mes souvenirs, j'ai récolté de nombreux renseignements que j'ai emmagasinés. Dans chaque livre se trouvait un grain de vérité et chaque souvenir m'apprenait que l'on cherche en vain la vraie nature des liens humains. Les connaissances acquises ne nous font pas plus savants. C'est pourquoi nous n'avons pas le droit d'exiger franchise et fidélité absolues de l'être que nous avons choisi pour ami, même lorsque l'expérience nous a révélé que cet ami était infidèle.

– Es-tu absolument certain que cet ami a été infidèle ? demande Conrad.

Ils restent un long moment sans rien dire. Dans la pénombre, à la lueur instable des chandelles, ils paraissent tout petits : deux vieillards ratatinés qui se regardent et que l'on voit à peine dans la pièce mal éclairée.

– Non, je n'en suis pas absolument sûr, répond le général. C'est justement pour cela que tu es ici, c'est de cela précisément que nous parlons.

Il s'appuie au dossier de son fauteuil et croise les bras sur sa poitrine. En cette attitude, il continue :

– Il existe en effet une vérité qui repose sur les faits. Il s'est passé telle chose à tel moment. Ce genre de vérité est facile à établir. Selon l'expression consacrée, les faits parlent d'eux-mêmes... et vers la fin de notre existence, l'ensemble des faits accuse et hurle la vérité plus fort que le supplicié sur le banc de torture. Sans la moindre équivoque possible, un fait est un fait. Et pourtant les faits ne sont parfois que de pitoyables conséquences.

– Conséquences de quoi ? interrompt Conrad.

Le général, cherchant ses mots, ne répond pas immédiatement, puis il dit lentement :

– On ne pèche pas uniquement par action, mais aussi par intention. Tout dépend, en vérité, de l'intention. Les anciennes jurisprudences religieuses que j'ai compulsées l'ont proclamé. Un homme pourrait être déloyal et vil, oui, il pourrait commettre un meurtre et des crimes atroces... et pourtant intérieurement – comment t'expliquer cela – il pourrait, contre toute logique, ne pas être coupable des actions infâmes qu'il a commises. Les faits ne sont pas toute la vérité, dit-il nerveusement. En somme les faits ne sont qu'un aboutissement.

– Dis-moi où tu veux en venir ? dit Conrad.

– Quand un homme devient juge et veut prononcer un jugement, dit le général, il n'a pas le droit de se contenter des faits établis par les rapports de police. Il doit trouver ce que les juristes nomment le motif du délit. Le fait de ta fuite est facile à établir, mais le motif de cette fuite ne l'est pas. Tu peux me croire quand je te dis que, durant les années écoulées depuis ton départ, j'ai examiné toutes les hypothèses pouvant servir d'explications à ce départ. Aucune n'a été satisfaisante. Tu es le seul à pouvoir m'éclairer.

Conrad, après un silence, dit sur un ton mal assuré :

– Tu parles de fuite. C'est un mot bien dur. En somme, je ne devais de comptes à personne et, auparavant, j'avais offert ma démission comme il se devait. Je n'ai laissé aucune dette derrière moi et je n'ai fait à personne de promesse que je n'aurais pu tenir. « Fuite » n'est donc pas le mot qui convient, dit-il avec plus de fermeté, mais un tremblement dans sa voix démontre que son indignation n'est pas tout à fait sincère.

– Peut-être le mot est-il en effet trop dur, reprend le général. Cependant – tout bien considéré – il faut admettre qu'il est difficile de trouver une expression plus faible pour ce qui s'est passé. Tu dis que tu ne devais rien à personne. C'est vrai en un certain sens et, en même temps, ce n'est pas vrai. Naturellement tu n'avais pas de dettes chez ton tailleur, ni chez les usuriers de la ville. Tu ne me devais pas non plus d'argent. Et pourtant, ce jour de juillet où tu as quitté la ville… – vois-tu, je me souviens même que c'était un mercredi – tu savais parfaitement que tu allais laisser une dette derrière toi.

– Oui, c'était bien en juillet, approuve Conrad, mais le général continue :

– Dès que j'ai appris que tu étais parti en voyage, je suis allé dans ton appartement. J'avais appris ton départ à l'heure du crépuscule, dans des circonstances singulières. Si tu le veux, nous en reparlerons à l'occasion. Je me suis donc rendu chez toi, où il n'y avait plus que ton ordonnance pour me recevoir. Je lui ai demandé de me laisser seul dans la chambre où tu avais vécu les dernières années.

A ce moment-là, le général s'interrompt, s'adosse dans son fauteuil et se couvre les yeux des deux mains, comme s'il cherchait à revoir son passé. Puis, il reprend posément :

– L'ordonnance se soumit naturellement à mon désir. Il ne pouvait guère faire autrement. Je restai donc seul dans la chambre où tu avais vécu et j'ai tout examiné avec soin… je te fais des excuses tardives pour mon indiscrétion. Toutefois, je n'arrivais pas à croire à la réalité… je ne pouvais pas comprendre que celui avec qui j'avais passé une grande partie de ma vie :

exactement vingt-deux ans, c'est-à-dire toute mon enfance, ma jeunesse et mes plus belles années d'adulte, eût simplement pris la fuite. J'essayais de te trouver des excuses. Je pensais que tu étais tombé gravement malade ou que tu étais devenu subitement fou... ou que tu étais menacé de gros embarras d'argent, que tu craignais d'être saisi à cause de dettes de jeu, ou que tu avais commis une faute grave contre l'armée... ou même que tu avais manqué à ta parole et que tu t'étais déshonoré. Voilà les espoirs dont je me berçais.

– C'étaient de faux espoirs, dit Conrad avec calme.

Le général pousse un soupir et continue son récit :

– Oui, en effet, de faux espoirs. Tu ne dois pas t'étonner si je te dis qu'à mes yeux tout cela paraissait moins grave que l'action que tu as effectivement commise. J'avais tout admis en fait d'excuses et d'explications, même l'infidélité aux idéaux de notre vocation. Il n'y avait qu'une chose que je ne pouvais m'expliquer, c'est l'offense que tu m'avais faite. Cela je n'arrivais pas à le comprendre. Pour cela il n'y avait pas d'excuse. Tu es parti comme un fraudeur... comme un cambrioleur. Quelques heures auparavant, tu étais encore avec nous, avec Christine et moi, dans cette pièce où durant de nombreuses années, de jour et même souvent de nuit, nous avons passé ensemble des heures d'intimité et de confiance fraternelles, comme des jumeaux, comme ces êtres singuliers qu'un caprice de la nature a enchaînés l'un à l'autre pour la vie et la mort.

– Tes comparaisons sont étranges, dit Conrad. Nous étions amis et c'est tout.

Le général secoue la tête :

– Non, je le sais mieux que toi et je maintiens : comme des jumeaux... qui, même arrivés à l'âge adulte et, séparés par des milliers de kilomètres, n'ignorent rien l'un de l'autre. Une sorte de loi biologique particulière les oblige à contracter simultanément la même maladie, même si l'un vit à Londres et l'autre dans un quelconque pays éloigné. Ils ne s'écrivent pas, ils ne se parlent pas, ils habitent, se nourrissent et vivent dans des conditions complètement différentes. Malgré cela, à trente ou quarante ans, ils ont à la même heure, mettons : une appendicite ou une jaunisse avec des symptômes identiques de guérison ou d'issue fatale. Les deux corps vivent en symbiose organique comme dans le sein de leur mère... Ils aiment ou détestent aussi la même personne. Ces cas existent.

– Ils ne sont pas fréquents, dit Conrad.

– Non, dit le général. Mais peut-être ne sont-ils pas non plus aussi rares que l'on pourrait le croire. Parfois, j'ai eu l'idée que l'amitié vraie était un lien aussi fort que celui de la communauté des jumeaux. Une similitude frappante des penchants, des sympathies, des goûts, de la culture générale et des passions lie deux êtres à un destin identique. En vain l'un entreprendra-t-il quoi que ce soit contre l'autre ; leur sort restera indissoluble. En vain l'un s'enfuira-t-il de l'autre, ils continueront à savoir l'essentiel au sujet l'un de l'autre. En vain l'un se procurera-t-il un nouvel ami ou une nouvelle maîtresse, sans le consentement tacite ou secret de l'autre, il ne pourra se libérer de cette communauté. Les destinées de ces individus se déroulent parallèlement, même si l'un des deux s'éloigne de l'autre pour aller, par exemple, sous les tropiques.

– C'est ainsi que tu t'imagines les choses, dit Conrad. Fais-tu allusion à mon sort sous les tropiques ?

– Je fais allusion à notre destinée, dit le général avec simplicité. Le jour de ta fuite, ce sont les considérations auxquelles je me suis livré dans ta chambre. Même aujourd'hui, je me remémore avec précision ces instants-là. Je vois l'éclairage de ta chambre, je sens l'odeur du lourd tabac anglais, j'aperçois avec netteté les meubles, le divan, avec les précieux tapis d'Orient et un portrait équestre sur le mur. Je me rappelle aussi exactement le fauteuil rouge foncé qui faisait d'ailleurs partie de l'ameublement de ton fumoir. Le divan était très large. Selon toute évidence, tu avait dû le faire fabriquer spécialement pour toi, car on ne pouvait trouver un meuble semblable dans les magasins de la région. En réalité ce n'était pas un divan, mais plutôt un lit de grande dimension, conçu comme ceux de France, un lit pour deux personnes.

Après un temps d'arrêt, il continue :

— La fenêtre donnait sur le jardin, si je ne m'abuse... Je me trouvais là-bas pour la première fois et... la dernière fois. Tu ne voulais jamais m'y recevoir et c'est fortuitement que j'ai appris que tu avais loué une maison en bordure de la ville, dans un quartier désert, une maison entourée d'un jardin. Tu l'avais louée trois ans avant ta fuite... Je te demande pardon, je remarque que tu n'aimes pas que j'emploie ce mot-là.

— Continue, dit l'hôte. Les mots importent vraiment peu. Continue puisque tu as commencé.

— Vraiment ? demande le général comme quelqu'un qui cherche à s'orienter. Estimes-tu vraiment que les mots importent peu ? Je n'oserais pas être aussi catégorique. Parfois, je serais plutôt de l'avis que les mots ont une importance énorme, peut-être même que tout dépend des mots que l'on emploie, dit ou écrit au moment opportun... Oui, c'est mon opinion, conclut-il avec assurance.

— Autrefois, dit Conrad, tu ne prêtais pas grande importance aux mots.

— Autrefois, c'est juste, mais maintenant que je suis presque toujours seul, les mots me paraissent d'une importance décisive... Tu ne m'as jamais invité à aller te voir chez toi et, sans invitation, je ne t'ai jamais rendu visite. Je t'avoue, en toute franchise, que je pensais que tu avais honte devant moi – l'homme riche –, honte de ta maison dont tu avais acheté les meubles un à un. Peut-être trouvais-tu l'ameublement trop simple, me disais-je... car tu étais très orgueilleux. Quand nous étions jeunes, seule cette question d'argent nous a séparés. Tu étais orgueilleux et tu ne pouvais me pardonner ma fortune. Plus tard, j'ai souvent pensé que cette richesse, dont tu étais l'obligé permanent, était en fait exagérément grande... J'étais né dans ce milieu et parfois je sentais qu'il m'était difficile de trouver une excuse à cette opulence... Et toi, tu ne manquais aucune occasion de me faire sentir la différence existant entre nous en cette matière d'argent. Les pauvres, tout spécialement ceux de la classe supérieure, ne le pardonnent jamais, ajoute-t-il avec une sorte d'étrange satisfaction.

— Je me réjouis de ce que tu l'aies compris, dit Conrad. Oui, il est très délicat de traiter des pauvres de bonne famille.

Le général approuve et dit :

— Voilà pourquoi j'ai supposé que tu me cachais ta demeure à cause de son ameublement modeste qui te faisait honte. Cette supposition était absurde, je m'en rends compte à présent, mais c'est ton orgueil sans borne qui me l'a fait faire. Un jour donc, je me trouvais dans la maison que tu avais louée et installée mais que tu ne m'avais jamais montrée. J'étais là, dans ta chambre, plein d'étonnement et n'en croyant pas mes yeux. Cet appartement, tu le sais bien, était un chef-d'œuvre.

— Un chef-d'œuvre ? C'était un appartement de célibataire et rien de plus.

Le général reprend avec vivacité :

— Tu veux dire qu'il n'était pas grand ? Rien qu'une pièce spacieuse au rez-de-chaussée et deux pièces plus petites à l'étage... En effet, il n'était pas très grand. Cependant, le jardin, les chambres et les meubles étaient d'un goût parfait. J'ai compris alors que tu étais véritablement un artiste. Je me suis aussi rendu compte à quel point tu devais te sentir étranger parmi nous, si différents de toi, combien s'étaient rendus coupables envers toi les deux êtres qui, par amour et ambition, ont voulu faire de toi un militaire. Car, en vérité, tu n'étais pas militaire. Oui... j'ai compris l'abîme profond qu'était pour toi la vie dans notre milieu.

— Si tu as compris cela, alors..., intervient Conrad timidement, mais le général ne le laisse pas continuer.

— Cette demeure te servait de refuge comme le château fort ou le monastère sert de retraite aux êtres isolés. Et de même que les seigneurs vivant de rapines mettaient les biens pillés en lieux sûrs, toi, tu accumulais dans ton foyer tout ce qui était beau et noble... des tentures, des tapis, des objets anciens en bronze, en argent, en cristal ainsi que des meubles et des étoffes rares... Je sais que ta mère est morte vers cette époque-là et que tu as aussi hérité d'autres parents polonais. Tu m'as parlé une fois d'une maison entourée d'un jardin, située quelque part à la frontière russe, maison qui devait te revenir un jour. Eh bien, cette maison et ce jardin se trouvaient maintenant là, transformés en appartement de trois pièces, en meubles et tableaux et aussi en un piano placé au milieu de la grande pièce du rez-de-chaussée, en vieux brocarts, couvrant entre autres ton piano, et enfin, en un vase de cristal avec trois orchidées. Dans cette région, on ne cultivait d'orchidées que dans une seule serre, la mienne... Je me suis promené dans la pièce principale et j'y ai tout examiné attentivement.

– En effet, tu as parfaitement tout observé, reconnaît Conrad. Je me souviens, moi aussi, des orchidées.

Le général leva les yeux vers lui :

– Cela me fait plaisir. J'ai compris alors que tu vivais parmi nous, mais que tu n'étais nullement des nôtres. C'était la raison pour laquelle tu avais installé ce chef-d'œuvre d'appartement que tu t'évertuais à cacher jalousement à tout le monde et dans lequel tu ne vivais que pour toi et pour ton art. Car tu es indubitablement un artiste. J'ai compris tout cela dans ta maison abandonnée. Or, à ce moment-là, Christine est entrée dans la pièce.

Le général dit tout cela sans passion et sur un ton si calme que l'on dirait qu'il expose les détails d'un fait divers au commissariat de police :

– J'étais devant le piano et je regardais les orchidées, continue-t-il. Cet appartement me faisait l'effet d'un déguisement. Quant à toi, c'était sans doute ton uniforme qui te paraissait un déguisement. Toi seul aurais pu répondre à cette question. Quoi qu'il en soit, aux questions les plus graves, nous répondons, en fin de compte, par notre existence entière. Ce que l'on dit entre-temps n'a aucune valeur, car lorsque tout est achevé, on répond avec l'ensemble de sa vie aux questions que le monde vous a posées. Les questions auxquelles il faut répondre sont : Qui es-tu ? Qu'as-tu fait ?... A qui es-tu resté fidèle ? A quel propos as-tu été infidèle ?... Avec qui, où, en quelle occasion as-tu été courageux ou lâche ?... Voilà les questions capitales.

— Elles sont nombreuses, dit Conrad pensif. A laquelle devrai-je répondre ?

Le général dit pour lui venir en aide :

— On répond selon ses possibilités : sincèrement, ou pas. Toi tu as quitté l'uniforme parce que pour toi il n'était qu'un déguisement... et cela constituait une réponse. Moi, j'ai gardé l'uniforme jusqu'au dernier moment, tant que les raisons de service et le monde m'y obligeaient. C'était là ma réponse. La première que j'ai mentionnée est ainsi liquidée.

— Et la seconde ? demande Conrad.

— La seconde est ainsi conçue : Qu'est-ce qui t'attachait à moi ? Étais-tu mon ami ? Tu as choisi la fuite et tu m'as quitté sans prendre congé. Quoique, tout bien considéré, il se peut que l'on ne puisse affirmer que tu fusses parti sans prendre du tout congé, puisque la veille de ta fuite, il s'est passé quelque chose à la chasse dont je n'ai compris le sens que plus tard. Peut-être était-ce ta manière de prendre congé.

— Tu parles d'une chasse, dit Conrad. Que s'y est-il donc passé ?

Le général paraît n'avoir pas entendu et poursuit :

— Au fait, pourquoi suis-je allé chez toi ce jour-là ? Tu ne m'avais pas appelé, tu n'avais pas annoncé ton départ et tu n'avais laissé aucun message. Que voulais-je donc voir dans ton appartement où, je le répète, tu ne m'avais jamais convié ? Quel pressentiment m'obligea à monter en voiture, à me faire conduire en ville et à te chercher dans ta maison déjà vide ?... Qu'avais-je appris le jour précédent, à la chasse ?... Quelqu'un ou quelque chose t'a-t-il trahi ? Aurais-je reçu une information confidentielle, un avertissement au sujet de ton intention de fuir?... Non, tout le monde autour de moi se taisait, même Nini... te souviens-tu encore de ma vieille nourrice?...

– Je me la rappelle très bien, dit Conrad. Quand est-elle morte?

– Elle n'est pas morte, répond le général d'un ton sec. Elle était au courant de tout ce qui nous concernait. Oui, elle vit toujours et vit à sa façon, comme cet arbre-là, devant la fenêtre, qui a été planté par mon arrière-grand-père. Son heure n'a pas encore sonné – comme toutes les créatures vivantes – et elle doit continuer à vivre le temps qui lui est dévolu. Elle avait compris ce qui se préparait, mais elle n'a rien dit, elle non plus. En ces jours-là, j'étais vraiment seul. Je savais toutefois que le moment était arrivé où tout devait être tiré au clair, où chaque personne et chaque chose auraient à occuper la place qui lui correspondait... toi et moi et tous les autres. Oui, voilà ce que j'ai appris à la chasse.

– Qu'as-tu appris au juste? demande Conrad.

– C'était une chasse superbe, répond le général presque avec chaleur, comme s'il revivait de beaux souvenirs. C'était la dernière grande chasse dans notre forêt et, quant à moi, la dernière fois que j'y ai chassé... A l'époque, il y avait encore de vrais chasseurs... Depuis lors, ne viennent ici que des chasseurs occasionnels... des invités de l'économat... pour décharger leurs fusils... mais, la chasse, la vraie chasse, c'était bien autre chose.

– Tu es fait pour le savoir, dit Conrad en souriant. Toi, tu étais un vrai chasseur.

Le général sourit aussi :

– Je te remercie de le reconnaître. Je sais que tu n'as jamais compris ma passion pour la chasse. Pour toi, la chasse était une obligation imposée aux gens de ta classe et de ta carrière, comme l'étaient l'équitation et la vie mondaine. Tu as chassé certes, mais à la façon de quelqu'un qui s'acquitte d'une tâche fastidieuse. A la chasse, ton visage prenait toujours une expression de mépris poli et tu maniais ton fusil avec la même négligence qu'une canne.

– Tu m'as bien observé, dit Conrad toujours souriant.

Le général continue également sur un ton de bonne humeur :
– Il n'était pas difficile de se rendre compte de ton état d'esprit. N'étant pas chasseur, tu ignorais cette passion singulière, cette passion secrète des hommes, quelles que soient leur fonction et leur culture. Cette passion, c'est le désir de tuer. Nous sommes des hommes et la condition humaine nous oblige à tuer. Il ne peut d'ailleurs en être autrement...

Conrad l'interrompt.
– Tu crois à la nécessité de tuer ? demande-t-il avec intérêt, comme pour se renseigner sur une lubie subite de son interlocuteur.
– Absolument, répond le général. L'homme tue pour défendre quelque chose et il tue quand il veut conquérir une chose ou se venger. Pourquoi souris-tu avec mépris ?... Certes, toi tu étais un artiste et dans ton âme les instincts naturels et rudes se sont-ils sans doute affinés ?... Penses-tu n'avoir jamais tué ?... Ce n'est pas tellement certain.

Après une pause, il reprend plus calmement :
– A présent, cette soirée nous ayant réunis, cela n'a pas de sens de parler d'autre chose que de ce qui est l'essentiel. En effet, cette rencontre ne se reproduira plus. Peut-être même ne sera-t-elle pas suivie de beaucoup de jours et de nuits... en tout cas, elle ne sera certainement pas suivie de soirées qui auront un intérêt aussi particulier.
– Est-ce ton impression ? demande Conrad, puis, après un moment de réflexion, il lance soudain : Alors, parle-moi enfin de l'essentiel.
– J'y arrive, dit le général. Te souviens-tu qu'il y a de nombreuses années, j'avais entrepris un voyage en Orient. C'était mon voyage de noces avec Christine. Nous traversâmes des régions habitées par des Arabes, et à Bagdad, nous fûmes les hôtes d'une famille arabe. Je puis te dire que les Arabes sont les gens les plus distingués de l'univers, ce que tu n'ignores pas non plus, toi qui as parcouru le monde.
– Tu exagères, dit Conrad, j'ai beaucoup voyagé, mais je ne puis avoir d'opinion concernant la terre entière et ses habitants.

Quand on voit la diversité des peuples, on devient... très modeste.

– Les Arabes, eux, ne sont pas modestes, reprend le général. Comme on dit : il n'y a que les gueux qui soient modestes. Les Arabes, eux, sont des seigneurs. Leur orgueil, leur fierté, leur tenue, leur caractère fougueux et leur calme, la discipline de leur corps et l'assurance de leurs mouvements, tout cela reflète leur seigneurerie ancienne, seigneurerie qui remonte à l'époque où, dans le chaos, l'homme prit, pour la première fois, conscience de sa dignité humaine. Selon une certaine théorie... – je te prie d'excuser les lacunes de mes connaissances – l'espèce humaine, dans les temps les plus reculés, avant qu'elle ne se soit scindée en tribus, peuples et civilisations, a pris ses origines dans le monde arabe. C'est sans doute à cause de cela que les Arabes sont si fiers. Je n'en sais rien, car je n'entends rien à ces questions. Mais, ce que je connais quelque peu, c'est la fierté des hommes.

– Oui, approuve Conrad. Tu te connais en matière de meurtre et de fierté. On dirait que tu as vraiment beaucoup lu toutes ces années.

– Je parle des Arabes, dit le général comme pour se disculper. De même que, même sans l'aide de signe distinctif, les gens reconnaissent qu'ils sont du même sang et appartiennent à une même catégorie sociale, j'ai senti, durant les semaines passées en Orient, que là-bas chaque homme, y compris le plus crasseux des chameliers, était un seigneur. Je t'ai dit que nous habitions chez des indigènes, dans une maison qui était un vrai palais. Sur la recommandation de nos représentants diplomatiques, ils nous avaient offert l'hospitalité. Tu connais ces fraîches demeures aux murs blancs. Au centre, une grande cour qui sert à elle seule de marché, de tribune, de lieu de prière et où s'écoule la vie bruyante de la famille et de la tribu. Connais-tu leurs flâneries du matin au soir... et leur folle passion pour les jeux, passion qui se manifeste dans chacun de leurs gestes ? Et cette oisiveté pleine de dignité ? Les passions et les joies de la vie y sont à l'affût, tels les serpents parmi les pierres chauffées par le soleil. Un soir, en notre honneur, nos hôtes ont invité des amis arabes. Jusqu'alors, ils nous avaient traités à l'européenne. Le maître de maison exerçait les fonctions de juge mais faisait, en même temps, de la contrebande. C'était aussi l'un des plus riches habitants de la ville. Dans les chambres d'amis, l'ameublement provenait d'Angleterre et la baignoire y était en argent massif.

Le général interrompt son récit. Il dirige un regard de myope devant lui, comme s'il examinait réellement quelque chose. Conrad l'observe et comme le général continue à se taire, il lui dit :

— Tu me disais donc que vous étiez en voyage de noces au Moyen-Orient, parmi les Arabes. Qu'as-tu pu observer encore ?

Il pose cette question simplement, comme pour dire quelque chose.

Sur quoi, le général relève la tête et dit avec vivacité :

— Mais si ! Ce soir-là nous avons été témoins de choses inouïes. Les invités — rien que des hommes — des seigneurs et leurs serviteurs arrivèrent après le coucher du soleil. Au milieu de la cour, flambait un grand feu d'excréments de chameau qui répandait une fumée âcre. Tous les hommes s'accroupirent autour du feu sans parler. Christine était la seule femme présente. Puis on traîna près du feu un agneau blanc comme neige. Le maître de maison aiguisa un couteau et, d'un seul coup, égorgea l'animal. Je n'oublierai jamais ce coup de couteau… impossible à apprendre, car c'est un geste oriental qui remonte au temps où tuer avait un sens religieux et symbolique. C'est ainsi qu'Abraham leva son couteau sur Isaac, quand il voulut le sacrifier. C'est avec ce mouvement que les prêtres sacrifiaient jadis les bêtes devant l'autel ou l'image des dieux. C'est ainsi que la tête de saint Jean-Baptiste fut séparée de son corps… le geste est ancestral. En Orient, chaque bras est capable de le faire. Peut-être est-ce par ce geste que l'Arabe devint homme, que la distinction entre l'animal et la créature s'établit.

– Crois-tu vraiment, demande Conrad d'un ton pensif, que l'aptitude à tuer suivant les règles de l'art ait distingué l'homme des animaux?... C'est une hypothèse acceptable. Pour ma part, je n'y ai jamais songé.

Le général désirant atténuer un peu ses paroles précédentes dit :

– Certes, ce n'est qu'une supposition. Je suis moi-même profane en cette matière... A en croire les anthropologues, l'homme s'est affirmé grâce à sa capacité d'écarter son pouce à angle droit, ce qui lui permet de saisir et manier armes et outils. Mais il se peut aussi que l'humanité ait commencé à s'élever grâce à son âme et non grâce à l'agilité de ses pouces. Je ne puis naturellement prendre position à ce sujet. L'hôte arabe tua l'agneau et ce vieux seigneur en burnous blanc, que ne macula nulle goutte de sang, ressemblait vraiment à cet instant-là à un mage venant d'immoler un être vivant. Ses yeux brillaient et tout l'homme parut rajeuni. Un silence de mort régnait autour de lui. Assis autour du feu, les invités suivaient du regard son bras levé pour donner le coup mortel, l'éclair lancé par la lame du couteau, le filet de sang jaillissant en arc et les soubresauts de l'agneau à l'agonie. Tous les autres avaient également des yeux étincelants. Je compris alors que ces gens vivaient tellement près de l'action de tuer que la vue du sang leur était familière et que le scintillement d'un poignard était pour eux chose aussi naturelle que par exemple la pluie.

Mais Conrad l'interrompt :

– Et Christine? Que pensait-elle de ce massacre? Estimait-elle aussi que tuer était un acte de piété religieuse?

Le général répond avec gravité :

– Je pense que Christine l'a aussi compris, parce qu'elle est restée comme médusée. Elle rougissait et pâlissait, respirait avec peine, puis, à un moment donné, elle a détourné la tête, comme gênée d'assister à une scène de sensualité passionnée. Nous comprenions qu'en Orient, le sens symbolique et sacré ainsi que la signification secrète et sensuelle du meurtre étaient encore vivants. En effet, tous ces hommes riaient et sur ces nobles visages basanés, nous remarquions des expressions d'hilarité, des regards extasiés, comme si l'action de tuer était une affaire bienfaisante et réconfortante, tel un baiser. Parfaitement! Mais nous, nous sommes évidemment occidentaux, conclut le général en prenant le ton sentencieux des conférenciers.

Et Conrad ne disant rien, il reprend lentement :

– Nous sommes des Occidentaux ou tout au moins des immigrants qui se sont fixés en Occident. Pour nous, le meurtre est une question relevant du droit et de la morale, parfois aussi un problème médical... en tout cas, quelque chose d'autorisé ou d'interdit, une action très exactement définie par le code. Nous aussi, nous tuons, mais nous procédons de façon plus circonspecte, selon ce que les lois autorisent ou prescrivent. Nous tuons pour défendre des idées sublimes et des vies humaines précieuses ; nous tuons aussi pour protéger l'ordre de la communauté des hommes. D'après nos conceptions, il ne pourrait en être autrement.

– On dirait, dit Conrad d'une voix traînante, que tu as beaucoup réfléchi à ce problème du meurtre.

– Beaucoup et souvent, approuve le général. Nous sommes des chrétiens, des adeptes de la civilisation occidentale et nous sommes portés à nous considérer coupables. Notre histoire n'est qu'une suite ininterrompue de massacres. Mais nous n'en parlons pas moins de l'action de tuer sur un ton de pieuse réprobation et les yeux baissés. Nous ne pouvons agir autrement. Seule la chasse constitue une exception.

– La chasse, dit Conrad avec un rire nerveux Eh bien! oui, tu es en effet expert en cette matière. Ne voulais-tu pas justement parler de chasse?...

Le général approuve d'un mouvement de tête.

– Naturellement, nous observons pour la chasse aussi certains règlements, dans l'intérêt des hommes, règlements dictés par des sentiments chevaleresques. Nous ménageons le gibier, dans la mesure où les conditions respectives de chaque région l'exigent.

Mais en réalité, la chasse continue à être un sacrifice, le reflet déformé d'un rite religieux, aussi vieux que l'humanité. Car il n'est pas vrai que le chasseur tue pour faire du butin.

– Tu ne le crois pas ? demande Conrad.

– Non, répond le général avec énergie. Jamais le chasseur n'a tué uniquement en vue du butin, même pas aux temps préhistoriques, lorsque la chasse était la seule possibilité de se procurer des vivres. La chasse a toujours eu le caractère d'une cérémonie religieuse, différente selon les tribus. Les tribus choisissaient toujours pour chef le chasseur le plus habile ; elles lui conféraient une sorte de sacerdoce. Avec le temps, tout cela s'est naturellement estompé... Mais, par certains côtés, la chasse a conservé jusqu'à nos jours son caractère de rite. Ce que j'ai peut-être préféré au cours de mon existence, c'était de partir à la chasse à la pointe du jour, dit-il doucement, presque avec émotion.

Puis il poursuit :

– Quand on se réveille, il fait encore nuit. On s'habille pour la circonstance, de façon toute différente des autres jours. On prend un petit déjeuner spécial ; on se fortifie le cœur d'un verre d'eau-de-vie et dans une dépense qu'éclaire une vieille lampe, on mange un morceau de viande froide... J'adore l'odeur des habits de chasse. Leurs étoffes sont imprégnées des senteurs de la forêt, du plein air et des giclures de sang, car on accroche tous les oiseaux abattus à sa ceinture et leur sang souille les vêtements...

Il s'arrête et sourit. Puis il dit comme pour lui-même :

– Mais, est-ce que le sang souille ? J'ai peine à le croire. Le sang est la matière la plus noble de l'univers et lorsque les hommes voulaient communiquer à leur Dieu quelque sentiment élevé, un message extraordinaire, ils lui offraient toujours un sacrifice sanglant. Et j'aimais aussi l'odeur du métal huilé du fusil, l'odeur rance de l'équipement de chasse en cuir brut.

– Tu parles de la chasse, dit Conrad, comme on ne parle que d'une vraie passion...

– La chasse, réplique le général, est en vérité une passion, comme tout ce qui a trait au sang et au meurtre... Est-ce que tu te souviens de ce que je vais rappeler : en quittant le château tu es arrivé dans la cour où les autres chasseurs attendaient. Le soleil n'est pas encore levé. Le garde-chasse tient les chiens en laisse et commente les événements de la nuit. Puis tu prends place dans la voiture qui se met en route. Le paysage s'éveille et la forêt s'étend, majestueuse, devant toi. La nature exhale une senteur si pure que l'on a l'impression de retrouver une patrie perdue. Ta voiture s'arrête à la lisière de la forêt. Tu en descends et le garde-chasse, avec son chien, t'accompagne en silence. Sur le sol humide couvert de mousse, tes grosses chaussures de chasse font à peine de bruit. Sur la piste que vous suivez, les traces de gibier pullulent...

– Tu parles, dit Conrad prudemment, d'une certaine chasse, ou de la chasse en général ?

– Je te demande la permission, dit le général en souriant d'un air embarrassé, permets-moi d'être pour une fois poétique dans ma vie. Parlant de ma passion, comment pourrais-je éviter de l'être ?... Moi, je me souviens très bien. Ce matin-là... – tu t'en souviens aussi sans doute – la lumière dévoile lentement la forêt. Sur la piste forestière, à environ trois cents pas de toi, un cerf avance lentement. Tu te dissimules dans un fourré et tu restes là, à l'affût. L'animal s'arrête, ne voit rien, ne flaire pas ta présence, le vent soufflant dans ta direction. Il sait cependant qu'il est en danger... il lève la tête, tourne son cou gracieux et son corps se tend. Durant quelques instants, il reste là, devant toi, immobile, en cette superbe position d'attente inquiète, comme un individu acculé à son destin qui se sent paralysé, sans force, car il sait que la menace n'est pas un cas fortuit mais la conséquence logique de circonstances incalculables et difficilement compréhensibles. Tu regrettes à ce moment-là de n'avoir pas pris des cartouches à balles. Il n'est pas possible que tu ne t'en souviennes plus ? dit le général avec force.

– Vaguement, dit Conrad sèchement, raconte ce qui s'est passé ensuite.

– Tu devrais pourtant t'en souvenir, dit le général d'une voix sourde. Dans ton fourré, tu restais, toi aussi, surpris. Toi, le chasseur, tu es à cet instant-là également dans l'attente. Tu sens dans ton bras le tressaillement que ressentent toujours les chasseurs en pareil cas. Tu t'apprêtes à tuer. Tu sens cette envie secrète, cette passion qui est une des plus fortes au monde. Etre plus fort et plus habile que l'autre, ne commettre aucune faute et rester maître de la situation. Les animaux doivent aussi connaître cela. C'est ce que ressent le serpent qui se dresse parmi les pierres pour attaquer. C'est la sensation que doit ressentir le vautour quand, d'une hauteur de mille mètres, il s'abat sur sa proie.

Il se tait un instant et reprend d'une voix plus faible, en détachant ses mots :

– Et c'est ce que doit ressentir l'homme qui dirige son arme contre sa victime. Dans cette forêt, c'est aussi ce que tu as ressenti, peut-être pour la première fois de ta vie, lorsque tu as épaulé ton fusil et que tu m'as mis en joue avec l'intention de me tuer.

Le général se penche au-dessus de la petite table qui se trouve entre lui et son hôte, remplit son verre et goûte la liqueur purpurine et sirupeuse. Puis tranquillement, il repose le verre sur la table.

XIII

C OMME Conrad ne proteste pas et ne manifeste d'aucune façon avoir entendu l'accusation formulée, le général reprend :

– Il ne faisait pas encore bien clair. C'était le moment où la nuit cède la place au jour, moment où se décident bien des choses sur terre.

L'autre ne réagissant toujours pas, il poursuit sur le ton d'un chasseur qui raconte ses aventures :

– J'ai toujours aimé cet instant du jour, instant splendide mais redoutable aussi. A cette heure-là, je me mets parfois à songer que le jour, avec sa belle ordonnance et la lumière qu'il apporte, démêle et libère tout ce qui était passion chaotique la nuit. Chasseurs et gibier affectionnent pareillement cette heure. La forêt répand alors une extraordinaire senteur sauvage, vivifiante, et le vent se lève doucement, une odeur âcre émane des feuilles mouillées, des fougères, des écorces garnies de mousse ainsi que des aiguilles et des pommes de pin qui pourrissent sur les sentiers baignés de rosée, odeur semblable à celle que dégagent les corps ruisselants de sueur des bêtes en rut. Tu excuseras, je l'espère, ces digressions lyriques mais, chaque fois que j'évoque ces matins-là qui rendent poétiques leurs admirateurs, je le fais avec des mots qu'habituellement je n'emploie jamais. Je te demande pardon ; je me rends compte que c'est un peu ridicule, dit-il d'un ton embarrassé. Mais c'est aussi que je n'ai plus personne à qui parler.

– Tu évoques, dit Conrad aimablement, des souvenirs qui te sont chers. Parles-en, je t'en prie, tant qu'il te plaira.

– Dans les temps anciens, reprend le général, au fond des bois, les païens, les bras levés, célébraient pieusement cet instant. Moment inquiétant aussi, celui où le gibier se met en mouvement pour se désaltérer aux sources. La nuit n'est pas complètement achevée, la grande lutte et la garde vigilante des bêtes nocturnes n'ont pas encore pris fin... Le chat sauvage – je l'ai souvent observé – se tient encore aux aguets et, avec un peu de chance, on peut apercevoir quelque ours arrachant un dernier morceau de charogne. Et le cerf donc ! A cette heure-là, le cerf en rut se remémore ses instants de passion au clair de lune. Il s'arrête au milieu de la clairière, où le féroce combat de l'amour s'est déroulé... Il lève fièrement sa tête couverte de blessures et de ses yeux brillants, injectés de sang, de ses yeux sérieux et tristes d'animal, il regarde autour de lui, comme s'il ne pouvait plus s'arracher aux lieux de sa profonde passion. Oui, la passion est une force énorme. Je l'ai bien souvent constaté et j'en ai fait l'expérience moi-même.

Il parle doucement et avec hésitation, mais aussi avec la vivacité et la satisfaction des solitaires qui ont la possibilité de s'entretenir avec un de leurs semblables.

– J'en sais aussi quelque chose, dit Conrad. Bien que je ne sois pas chasseur, je connais pourtant ces heures matinales...

– J'en doute, réplique le général. En tout cas, tu te trouvais ce jour-là effectivement dans la forêt à l'aube et tu avais un fusil. Nous avons commencé par vouloir mettre en doute, à tout prix, le vrai sens de cette passion, mais l'essence véritable de celle-ci a prévalu sur notre volonté ; elle ne s'est pas laissé entamer, elle est restée entière. La vérité est que durant vingt-deux années tu m'avais haï, dit-il d'une voix forte.

– Tu l'avais compris ? demande Conrad.

Le général réfléchit un instant et répond :

– Peut-être ! Je l'ai compris, mais non pas avec ma raison. Tu me haïssais non seulement dans l'acception courante du mot, mais avec une passion rappelant celle des liaisons intimes. N'oublions pas que la passion n'est pas soumise aux lois de la raison.

– Tu ne t'es jamais trahi…, dit Conrad sans assurance, mais le général ne se laisse pas continuer et reprend :

– La passion ne se soucie pas de ce qu'elle recevra en échange. Ce qu'elle veut, c'est pouvoir s'exprimer entièrement, même si, en contrepartie, on ne lui accorde que sentiments tendres, amitié et indulgence. Aussi, toute vraie passion est sans espoir… et les autres n'ont-elles que la valeur d'un pacte, d'un compromis avantageux ou d'un échange d'intérêts mesquins. Tu m'as haï et ta haine est devenue un lien aussi fort entre nous que celui de l'amour.

Il fixe la lueur des chandelles et puis, sans regarder Conrad, il lui demande :

– Pourquoi me haïssais-tu ? J'ai essayé de le comprendre. Tu n'as jamais accepté d'argent de moi, tu refusais le moindre cadeau. Tu n'as pas voulu que notre amitié devînt une véritable fraternité ! Si je n'avais pas été trop jeune à l'époque, j'aurais compris à quel point ces indices étaient révélateurs et dangereux. Celui qui refuse une partie veut sans doute le tout. Tu me haïssais déjà lorsque nous n'étions que des enfants : oui, dès le tout premier instant, quand j'ai fait ta connaissance dans cette école, où des représentants choisis de notre monde étaient dressés et éduqués. Pourquoi me haïssais-tu ? repète-t-il en élevant la voix.

– Haïr n'est pas le terme exact, dit Conrad avec calme. Tu n'as pas bien interprété mes sentiments.

– Si, rétorque le général avec une colère sourde. Tu me haïssais parce que je possédais ce qui te faisait défaut. Quoi au juste ? N'étais-tu pas toujours le mieux élevé des deux, un assemblage parfait d'application, de vertu et de toute sorte de capacités ? N'étais-tu pas doué de toutes les manières, puisque tu possédais même un talent que tu cachais, celui de la musique ? Tu étais de la famille de Chopin, un être réservé et orgueilleux. Cependant, au fond de ton âme, se terrait, prêt à bondir, ton désir absurde d'être différent de ce que tu étais réellement. C'est là le fléau le plus cruel dont le destin peut affliger un homme, dit-il d'un ton grave.

— Je suis parti, dit Conrad sèchement. J'ai donc cherché à être ce que je suis.

Le général le regarde avec méfiance et dit :

— Non, tu voulais être un autre. Être différent de ce que l'on est... est le désir le plus néfaste qui puisse brûler dans le cœur des hommes. Car la vie n'est supportable qu'à condition de se résigner à n'être que ce que nous sommes à notre sens et à celui du monde. Nous devons nous contenter d'être tels que nous sommes et nous devons aussi savoir qu'une fois que nous aurons admis cela, la vie ne nous couvrira pas de louanges pour autant. Si, après en avoir pris conscience, nous supportons d'être vaniteux ou égoïstes, d'être chauves ou obèses, on n'épinglera pas de décoration sur notre poitrine. Non, nous devons nous pénétrer de l'idée que nous ne recevrons de la vie ni récompense ni félicitations. Il faut se résigner, voilà tout le grand secret.

— Nous résigner à quoi ? demande Conrad.

Le général répond promptement :

— A notre caractère et à notre nature dont les défauts, tels que l'égoïsme et l'avidité, ne peuvent être corrigés ni par l'expérience ni par l'intelligence. Nous devons admettre que des personnes que nous aimons ne correspondront pas à notre amour comme nous l'espérions. Nous devons supporter la trahison et l'infidélité. Nous devons aussi — ce qui est le plus difficile au monde — savoir admettre que d'autres nous surpassent par leur caractère et leur intelligence. Voilà ce que j'ai appris ici, au milieu de la forêt, au cours de ces années. Toi, tu n'as pu supporter tout cela, conclut-il à voix basse, mais avec fermeté.

— Du temps de notre enfance, dit Conrad, nous étions pourtant amis.

— Mais durant notre enfance, tu ignorais encore tout ceci, reprend le général. C'était la belle époque, une époque merveilleuse. Dans la vieillesse, la mémoire agrandit chaque détail et nous donne une image claire et parfaite du passé. Nous étions enfants et nous étions amis : dons merveilleux du sort. Remercions-le de nous avoir permis d'en bénéficier. Mais par la suite, ton caractère s'est affirmé et tu n'as pu supporter qu'il te manquât ce qui m'était échu comme un don des dieux, grâce à mon origine et à mon éducation.

– Quel était ce privilège ? demande Conrad avec intérêt.

Le général répond avec simplicité :

– La différence consistait en ce que le monde te voyait avec indifférence et parfois avec antipathie, alors que les gens m'accueillaient en souriant et m'accordaient leur confiance. Tu as dédaigné la confiance et l'amitié que le monde te témoignait, mais, en même temps, tu m'enviais terriblement. Peut-être pensais-tu – évidemment pas de façon bien nette et, sans doute, uniquement en raison de tes sentiments naissants – que le caractère d'un être privilégié, comme moi, qui étais la coqueluche du grand monde, devait ressembler à celui des filles de joie. Il y a des gens que tout le monde chérit... On leur réserve bon accueil et on les comble de gâteries. Ces gens-là paraissent en effet s'offrir à tout venant et ont en eux des penchants qui caractérisent généralement les prostituées. Tu remarques que les mots ne me font plus peur, dit-il en souriant.

– En effet, reconnaît Conrad. Tu n'as vraiment plus l'air d'hésiter à dire ce que tu penses, avec les mots qui te viennent.

– Dans la solitude, dit le général, nous apprenons à tout comprendre et à ne plus rien craindre. Des individus qui portent sur leur front la marque de faveur des dieux se sentent vraiment des élus et ils se présentent dans le monde avec un aplomb présomptueux. Pourtant, si c'est ainsi que tu m'as imaginé, tu as commis une grave erreur. Seul le miroir déformant de l'envie pouvait donner de moi une telle image. Je ne veux pas me défendre, parce que c'est la vérité que je cherche et parce que celui qui veut la vérité doit commencer ses investigations en lui-même. Ce que tu as considéré en moi et autour de moi comme une grâce et un don des dieux n'était que de la candeur. J'étais confiant jusqu'au jour où... eh bien! oui! Jusqu'au jour où je suis allé chez toi, dans ta maison que tu avais quittée comme pour t'enfuir.

– As-tu eu confiance en moi? demande Conrad d'un air intrigué.

– Oui, car j'étais candide. Peut-être est-ce précisément cette candeur qui a poussé les gens à me témoigner des sentiments amicaux et bienveillants, à me sourire et à m'accorder leur confiance. Il y avait certainement quelque chose en moi... – je parle du passé et tout ce dont je parle est déjà tellement loin que je pourrais évoquer mon moi d'alors comme s'il s'agissait d'un étranger ou d'un mort –, sans aucun doute, je possédais une sorte de légèreté et d'indulgence qui désarmaient les gens. Il y a une époque dans ma vie, une dizaine d'années de ma jeunesse, pendant laquelle le monde a toléré patiemment mes prétentions. Je pourrais appeler ce temps-là l'époque bénie, dit-il sur un ton d'humilité et il reprend ensuite plus vivement : On se précipitait au-devant de moi, comme si j'étais un conquérant qu'il fallait fêter avec des coupes remplies de vin, des jeunes filles vêtues de blanc et des fleurs. Réellement, après que nous eumes quitté l'Académie militaire, pendant les dix années de notre existence à Vienne, puis à l'armée, la confiance que j'avais en moi ne m'a pas quitté un seul instant. Je me laissais bercer de l'illusion que les dieux m'avaient passé au doigt un anneau magique, invisible, grâce auquel je devais être entouré d'affection et de confiance et à l'abri de tout déboire. Ce sont là les biens suprêmes de l'existence.

– Tu as raison, dit Conrad. Ce sont des privilèges précieux qui ne t'ont pas été refusés.

– Somme toute, poursuit le général, ce sont même les privilèges les plus précieux. Celui qui, en pareilles circonstances, devient présomptueux, fait le pitre, celui qui n'est pas capable de recevoir ces faveurs du sort avec humilité et ne se rend pas compte que cet état de grâce ne dure qu'autant que les dons du ciel ne sont pas dilapidés, celui-là est infailliblement perdu. Le

monde ne pardonne qu'à ceux qui, en leur cœur, restent com-
préhensifs et humbles... et même à ceux-là, pour quelque temps
seulement... En ce qui nous concerne, toi, tu as accumulé de la
haine contre moi, conclut-il d'un ton ferme.

– C'est ta conviction, dit Conrad. Je te laisse parler mais sache
que je ne partage pas ton opinion.

Le général ne lui répond pas et reprend sur le même ton :

– Quand notre jeunesse eut pris fin, nos rapports commencèrent à se refroidir. Dans la vie sentimentale, rien n'est plus triste
que le lent déclin de l'amitié entre deux hommes. Tandis
qu'entre hommes et femmes les choses se trouvent en général
parfaitement définies, comme dans un contrat d'affaires bien
établi, entre deux hommes le sens profond de l'amitié réside précisément dans un désintéressement total, qui n'exige rien d'autre
que la fidélité au pacte conclu tacitement. Mais peut-être est-ce
moi qui suis le plus coupable, parce que je n'ai pas cherché à te
connaître à fond. J'ai accepté que tu ne me révèles pas complètement ta personnalité. J'étais rempli d'admiration pour ton intelligence et aussi pour cette sorte de supériorité désabusée qui
émanait de toi. J'étais pour ainsi dire convaincu que tu m'accor-
derais ton pardon, toi aussi, comme l'ont fait les autres et que tu
te réjouirais de me savoir au mieux avec le monde. Je croyais
qu'au fond tu possédais également la possibilité de traiter les
gens avec indulgence, avec bonne humeur et de te faire chérir de
ceux qui, de prime abord, ne t'avaient reçu qu'avec froideur.
Notre amitié était pareille à celle des vieilles légendes. Mais tandis que j'évoluais dans les régions ensoleillées de la vie, toi, tu
restais volontairement dans l'ombre... Est-ce aussi ton sentiment ?...

– N'avais-tu pas commencé à parler de la chasse ? dit Conrad
évasivement.

– Si fait, réplique le général. D'ailleurs tout ce que je viens de
dire s'y rapporte. Quand on décide de tuer quelqu'un, il se passe
auparavant bien des choses et l'affaire ne consiste pas uniquement à charger un fusil et à tirer. Dans notre cas, il y a eu ton

incapacité à me pardonner et notre pacte s'est trouvé compromis. A l'époque de notre lointaine enfance, notre amitié était si délicatement, mais en même temps si solidement établie, que l'on aurait pu croire que de bons génies l'avaient imaginée pour y bercer les enfants que nous étions. Te le rappelles-tu ?

– Dans mes souvenirs, dit Conrad, ce pacte me paraissait quelque peu artificiel... trop voulu, pas assez spontané.

Le général continue sur un ton un peu mélancolique :

– Le temps magique de l'enfance avait disparu et il restait deux hommes enchaînés l'un à l'autre par des relations compliquées et énigmatiques, appelées communément « amicales ». Avant de reparler de la chasse, nous devons voir clair en cette matière, conclut-il gravement.

Conrad le regarde avec étonnement et dit :

– Je n'ai pas l'impression de te devoir quoi que ce soit.

Le général continue sur le même ton :

– Ce n'est pas forcément au moment où l'on épaule son fusil pour tuer quelqu'un que l'on est le plus coupable. La culpabilité commence bien avant. Elle débute avec l'intention. Puisque je prétends que notre amitié a été compromise, je dois savoir par qui ou par quoi elle l'a été... Nous étions différents l'un de l'autre et pourtant nous nous accordions bien, nous nous complétions. Nous formions une alliance, une communauté et cela est chose rare.

– En effet, extrêmement rare, approuve Conrad.

– Tout ce qui manquait en toi, dit le général, s'est trouvé pleinement compensé, dans le pacte de notre jeunesse, par le fait que le monde me traitait avec cordialité. Une chose demeurait indiscutable : nous étions amis. Voilà ce que tu dois comprendre, si tu ne l'as pas compris jusqu'à présent, dit-il en élevant la voix.

– Je ne saisis pas..., dit Conrad, troublé pour la première fois au cours de cette conversation. Je ne vois pas où tu veux en venir. Que devrais-je comprendre ?

– Voyons, tu l'as sûrement compris, dit le général avec mépris. Tu l'as compris auparavant et aussi, par la suite, sous les tropiques et partout ailleurs. Nous étions amis et ces mots ont un sens profond que seuls les hommes comprennent. Il te faut maintenant apprendre ce que ces mots comportent – en fait – d'obligations et de responsabilités. Nous étions des amis, c'est-à-dire non pas simplement des camarades de jeu ou des gamins qui se réunissent dans un coin pour se chuchoter des confidences. Nous étions, te dis-je, de vrais amis et rien au monde ne peut dédommager d'une amitié perdue. Même une grande passion ne saurait causer la satisfaction que procure l'amitié à ceux qu'elle touche de son pouvoir magique. D'ailleurs si nous n'avions pas été des amis, tu n'aurais pas pointé ton fusil sur moi ce matin-là, à la chasse ; le lendemain je ne serais pas allé chez toi, dans cette maison où tu ne m'as jamais invité, parce que tu y cachais un secret qui a flétri notre amitié ; tu ne te serais pas enfui de la ville et de moi, tu n'aurais pas fui le lieu de ton acte comme le font les malfaiteurs... Non, tu serais au contraire resté ici, pour me tromper et me trahir !

Il se tait soudain, comme arrivé au bout de ses forces et s'adosse à son fauteuil. Il reste ainsi un moment, très pâle, vieilli, les paupières baissées. Puis d'un coup il se redresse et se met à parler d'une voix lourde qui paraît venir de loin.

– Cela m'aurait également fait souffrir, aurait blessé ma vanité et mon amour-propre mais n'eût pas été aussi atroce que ce que tu as fait, précisément parce que tu étais mon ami. Dans le cas contraire, tu ne serais pas non plus revenu ici, après quarante et une années. Mais tu es revenu exactement comme un assassin qui revient rôder autour de l'endroit de son crime. Tu le savais, toi aussi, qu'il te fallait revenir. Et maintenant, je dois t'avouer une chose surprenante, que je n'ai découverte que peu à peu et à laquelle je ne pouvais croire tout d'abord et que j'essayais de nier moi-même. Sache donc que nous sommes encore et malgré tout amis, termine-t-il en détachant chaque mot.

Puis il fixe longuement et attentivement son invité, comme s'il le voyait vraiment pour la première fois.

Conrad pose son cigare sur le cendrier, se penche en avant et demande avec un vif intérêt :

— Toujours amis ?... Voudrais-tu m'expliquer ?

— L'amitié, répond le général d'un ton sentencieux mais cependant cordial, ni aucun des sentiments intimes ne peuvent être modifiés par des forces extérieures. Tu as mis fin à quelque chose en moi et tu as gâté mon existence et, malgré cela, je suis resté ton ami. Et ce soir, je vais tuer quelque chose en toi, je te laisserai repartir à Londres ou sous les tropiques ou au diable Vauvert et tu continueras à être mon ami. Il faut aussi que nous sachions cela avant de reparler de la chasse et surtout, de rappeler ce qu'il est arrivé après la chasse.

Conrad dit, après un moment de réflexion :

— Je crois que je commence à te comprendre.

Le général sourit d'un air satisfait, ces paroles étant bien celles qu'il attendait. Puis, sur un ton toujours doctoral mais aussi légèrement ironique, il continue :

— N'oublions pas que l'amitié n'est pas uniquement un état d'âme respectable, mais une stricte loi humaine. Dans l'Antiquité, elle était même la loi suprême, sur laquelle reposait l'ordre juridique des civilisations disparues. Cette loi de l'amitié survit dans le cœur des hommes, aux passions et à l'égoïsme ; elle est plus forte que la passion qui pousse irrésistiblement hommes et femmes à se joindre. L'amitié ne peut être déçue puisqu'elle ne réclame rien. Un ami peut être la victime d'un assassin mais l'amitié née dans le cœur d'un enfant est plus forte même que la mort, car son souvenir reste vivant comme celui d'une action héroïque. Dans l'acception atténuée des termes, on peut prétendre que l'amitié véritable est une chose héroïque, un acte de bravoure sans cliquetis d'armes, mais courageux néanmoins. Elle est muette, comme le comportement des hommes qui ne connaissent pas l'égoïsme.

Et comme il s'interrompt subitement, Conrad dit :

— Tout ce que tu dis ne m'est pas entièrement étranger.

Le général l'écoute satisfait, puis continue :

– Tu savais aussi parfaitement que notre amitié était de cette nature. Quand tu as épaulé ton arme pour me tuer, cette amitié était peut-être plus vivante qu'à n'importe quel moment des vingt-deux années passées. Tu te souviens assurément de cet instant-là, car il a donné sens et contenu au reste de ta vie. Moi, je ne l'ai pas oublié. Nous nous trouvions dans une sapinière touffue, à un endroit où un sentier partant du chemin forestier conduisait dans le fourré où la végétation forestière est maîtresse absolue. Je marchais devant toi et ayant aperçu à environ trois cents mètres de nous un cerf qui sortait de sous les sapins, je me suis arrêté. La tête levée, le regard dirigé vers le fourré, l'animal s'était aussi arrêté au bord du sentier. Il avait deviné le danger qui le menaçait. L'instinct, ce sixième sens mystérieux, plus subtil et plus efficace que l'ouïe ou la vue, avait alerté la bête. Celle-ci ne pouvait nous voir, ni nous entendre, puisque la brise matinale soufflait dans notre direction. Nous sommes restés un bon moment immobiles, un peu essoufflés de la marche que nous venions de faire. Le garde-chasse avec le chien se trouvait derrière nous.

– Il nous attendait à l'orée de la forêt, précise Conrad.

– Oui, dit le général. Il nous attendait en effet à l'orée. Nous nous trouvions donc seuls, en pleine forêt. J'avais – comme je viens de le dire – aperçu le gibier. A dix pas derrière moi, tu l'avais vu aussi. Dans des cas pareils, un chasseur se rend instantanément compte de la situation et du danger éventuel qui le menace, sans même avoir besoin de jeter un regard derrière lui. Quelles sortes d'ondes, d'énergie ou de radiations nous renseignent en ces cas-là ? Je n'en sais rien... conclut-il en faisant de la main un geste de perplexité.

– C'est l'instinct, dit Conrad, ou quelque phénomène magnétique. De nos jours, on désigne un tas de choses par un terme scientifique.

– C'est possible, admet le général. En ce qui me concerne, j'en reste à l'ancien terme, à celui de l'instinct... Où en étais-je donc ?... Ah ! oui... L'air était parfaitement pur et la brise tellement légère qu'elle n'arrivait même pas à agiter les branches de sapin. Le cerf, les oreilles dressées, restait immobile, comme ensorcelé, car tout danger comporte une part d'attraction secrète. Quand nous devons affronter le destin, outre l'angoisse et la peur, nous ressentons comme un charme… car l'homme ne cherche pas uniquement à vivre, il veut aussi connaître son destin et cela, en dépit du danger et de la ruine possibles. Je présume que le cerf ressentait alors quelque chose d'approchant et toi, à quelques pas derrière moi, tu devais te trouver dans des conditions pareilles, lorsque, médusé comme le gibier et comme moi, qui nous trouvions à portée de ton fusil, tu t'es préparé à tirer. J'ai entendu alors le bruit léger et sec de ton fusil de prix que tu armais pour tirer. J'espère que tu te rappelles cet instant-là.

– Oui, je me le rappelle… répond Conrad.

– C'était l'instant critique pour un chasseur, reprend le général. Naturellement, j'avais été seul à entendre ce léger bruit. Le cerf, à une distance d'environ trois cents mètres, ne l'avait certainement pas perçu, malgré le silence du matin dans la forêt. Puis, il s'est produit une chose, qu'il me serait impossible d'affirmer devant un tribunal, mais que je peux te dire à toi, puisque toi, tu connais la vérité.

– Que veux-tu dire ? demande Conrad.

– Ce que je veux dire ? Exactement ceci : A partir de cet instant-là, j'ai senti tes mouvements, je les ai perçus de manière plus certaine que si je les avais réellement vus. Tu te trouvais de biais derrière moi. J'ai senti que tu levais ton fusil, que tu l'épaulais et visais. J'ai senti également avec précision qu'un œil fermé, tu détournais lentement le canon de ton fusil. La tête du cerf et la mienne se trouvaient placées sur la même ligne de mire. Vues par toi, elles étaient exactement à la même hauteur. Ta main tremblait, je l'ai aussi senti sans équivoque possible. Mais le coup d'œil rapide et l'appréciation précise de la situation, qui caractérisent le vrai chasseur, ne m'ont pas non plus fait défaut. Sur-le-champ, il m'est apparu clair comme le jour que de l'endroit où tu te trouvais, tu ne pouvais viser le cerf. Comprends-moi bien.

La situation telle qu'elle se présentait du point de vue du chasseur éveillait en moi un intérêt bien plus vif que celle-ci, par rapport à ses incidences sur le plan humain. En matière de chasse, j'étais tout à fait expert. Je suppose que tu l'admettras…, dit-il. Et il attend la réaction de Conrad.

– Oui, dit celui-ci avec conviction. En matière de chasse, tu étais vraiment très fort… Mais continue, je t'en prie.

Le général se lève, se place devant le poêle et pointe l'index, comme pour indiquer une direction, et dit :

– Je connaissais parfaitement l'emplacement qu'un chasseur devait occuper pour atteindre un cerf arrêté sans méfiance, à une distance de trois cents mètres. Possédant les données du problème, à savoir les endroits précis où se trouvait le chasseur et le gibier, je voyais exactement ce qui se passait dans le cœur de l'homme placé à quelques pas derrière mon dos. Tu as visé durant une demi-minute… un temps incroyablement long !… Même sans montre, je l'avais évalué à une seconde près. Je savais qu'avec toi, je n'avais pas à escompter un coup de maître et qu'il m'aurait suffi d'incliner un peu la tête de côté pour que la balle sifflât près de mon oreille et touchât éventuellement le cerf. Oui, je savais que même un simple mouvement de ma part eût suffi pour que la balle ne quittât pas le canon de ton fusil. Mais je savais aussi qu'il était inutile de faire quoi que ce fût, car à cet instant, l'avenir ne dépendait plus de moi. Le sort en était jeté et un événement devait se produire selon l'enchaînement inéluctable des choses… J'attendais une détonation. J'attendais qu'une balle du fusil de mon ami mît fin à ma vie. Nous n'avions pas de témoin, puisque le garde-chasse était encore loin de nous. Les éléments d'une situation parfaite étaient de la sorte réunis. Situation classique à tous les points de vue, situation faite expressément pour ce que l'on nomme « hasard malheureux », conclut-il satisfait.

– Tu as évalué la durée de ton attente, demande Conrad, à une demi-minute exactement ?

– Pas une seconde de plus, dit le général en se promenant à pas lents devant le poêle.

Puis il se baisse pour tisonner le feu de bois et lance par-dessus son épaule :

— La demi-minute s'était écoulée et le coup de fusil n'avait pas été tiré.

Il se redresse, s'approche de son fauteuil et s'y installe puis il continue son récit, sans hâte :

— Sur ce, le cerf s'aperçut du danger et, d'un bond rapide comme l'éclair, il disparut dans le fourré. Nous continuâmes à rester immobiles jusqu'au moment où d'un mouvement infiniment lent, tu as abaissé ton fusil. Ce mouvement, je ne pouvais ni l'entendre ni le voir. Et pourtant, je l'ai vu et entendu... comme si nous avions été en face l'un de l'autre.

— Tu plaisantes, dit Conrad, impatienté... Un tel mouvement ne peut ni s'entendre ni se voir. C'est de la pure fantaisie, ajoute-t-il plus fort et avec humeur.

— Non, réplique le général d'une voix qui s'est durcie sous l'effet d'un mouvement de colère sénile. Tu as abaissé ton arme avec tant de précautions que l'on eût dit que tu craignais que le froissement de l'air pût te trahir Le cerf avait disparu dans la forêt, l'instant propice était passé ! D'ailleurs – chose à noter – tu aurais encore eu le temps de m'abattre, car il n'y aurait pas eu de témoin de ton acte et personne, nul juge, n'aurait pu te condamner. Si tu avais perpétré ton crime, la compassion des gens t'aurait été acquise. N'étions-nous pas des amis légendaires, comme Castor et Pollux, durant vingt-deux années, des camarades pour le meilleur et pour le pire, bref le symbole personnifié de l'amitié ? Si ton arme m'avait tué, chacun t'aurait tendu la main avec des condoléances et aurait partagé ton deuil. Car, aux yeux du monde, il n'y a pas d'être plus à plaindre que celui qui tue son ami accidentellement. Quel homme, quel procureur général se serait risqué à parler de ta culpabilité et aurait osé affirmer – chose inconcevable – que tu m'avais tué volontairement ?

Il pose cette question doucement et presque cordialement. Puis il se tait. La grande salle est plongée dans la pénombre et les vieillards restent longtemps sans parler.

XIV

L E général se frotte les yeux, comme s'il venait de s'éveiller en sursaut, puis sans chercher de transition à ses dernières paroles, il se remet à parler avec vivacité :

– Jamais on n'aurait pu démontrer que ton cœur était rempli d'une haine mortelle contre moi. La veille, tu avais passé la soirée avec nous. Dans ce château, où depuis de nombreuses années tu étais presque chaque jour un hôte bienvenu, nous avions réuni quelques parents et camarades de chasse. Ce soir-là, comme en maintes occasions, on nous a vus en conversation amicale. Tu ne me devais pas d'argent et nous te considérions comme un membre de notre famille. A qui aurait-on pu faire croire que tu m'avais tué volontairement ?

– Évidemment à personne, dit Conrad.

Et le général de continuer :

– D'ailleurs, pour quelle raison m'aurais-tu assassiné ? Comment toi, qui pouvais considérer ma maison et ma fortune comme tiennes, toi qui devais estimer ma famille comme tes parents adoptifs, comment toi, le meilleur des amis, aurais-tu voulu me tuer, moi qui étais ton véritable ami, moi qui pouvais te donner tout ce dont tu avais envie sur terre ? Non, une telle supposition se serait retournée contre celui qui aurait eu l'audace de l'émettre. L'indignation générale aurait balayé le coquin qui aurait risqué pareille insinuation et on se serait empressé de te serrer la main avec des condoléances, puisqu'en somme tu avais été la victime d'un terrible coup du sort, celui d'avoir donné accidentellement, de tes propres mains, la mort à ton meilleur ami… Voilà comment se serait présentée l'affaire ! En conviens-tu ?

– Oui et non, réplique Conrad en pesant ses mots. Je pense que la question aurait pu être interprétée de cette façon. Toutefois, le fait est…

– Le fait est qu'en fin de compte, intervint le général, tu n'as pas appuyé le doigt sur la détente de ta carabine. Il reste à établir pour quelle raison… Que s'est-il passé au juste à cet instant-là ? Peut-être le cerf, ayant enfin perçu le danger, a-t-il tout simplement quitté les lieux. Toutefois, nous sommes ainsi faits que pour l'accomplissement d'une action hors du commun il nous faut un prétexte quelconque. Ce que tu avais combiné était astucieux et précis. Néanmoins, la présence du cerf était indispensable. Celui-ci parti, la mise en scène n'était plus parfaite et tu laissais tomber ton arme. Ce fut l'affaire d'une seconde, et qui serait capable de tout calculer, évaluer et juger en un clin d'œil ? Mais cela n'a pas non plus d'importance. Bien que sans valeur devant les tribunaux, ce qui reste capital, c'est que tu aies voulu me tuer, que ta main se soit mise à trembler et que tu n'aies pas accompli le meurtre, parce qu'au moment d'agir, quelque chose d'inattendu s'est produit, termine-t-il.

Puis, il attend la réponse.

– Venons-en au fait, dit Conrad.

– J'y arrive. Le cerf avait disparu depuis longtemps dans la forêt et nous continuions à ne pas bouger. Un bon moment, nous sommes restés ainsi, sans souffler mot. Je ne me suis pas retourné. Si, à ce moment-là, j'avais jeté un regard sur ton visage, peut-être y aurais-je tout découvert. Mais je n'ai pas pu me décider à te regarder. Il existe en effet un sentiment de honte qui est plus pénible que n'importe quelle autre impression humaine. Je pense à la honte que doit ressentir la victime choisie par le sort et qui se trouve dans l'obligation de regarder son meurtrier dans les yeux. En des cas pareils, on est rempli de confusion devant le Créateur. C'est pourquoi, lorsque je fus libéré de l'enchantement paralysant, je n'ai pas voulu voir ton visage. T'en souvient-il ? demande-t-il d'une voix forte.

– Vaguement, répond Conrad. Il se peut en effet que tu ne te sois pas retourné. Je ne me souviens plus nettement de tout cela.

– Il est vrai que tout cela est bien loin, dit le général. Je sais que le temps efface les souvenirs. Toutefois, en ce qui me concerne – ajoute-t-il avec un air de satisfaction risible – je me souviens de tout. Je me rappelle parfaitement que je me suis remis à avancer sur la piste jusqu'en haut de la colline. Tu t'es aussi remis en marche, comme sous l'effet d'une contrainte. A peu près à mi-chemin, je t'ai crié sans me retourner : « Tu as laissé passer l'instant propice. » Mais toi, tu n'as pas répondu et ton silence équivalait à un aveu. En ces occasions-là, tout chasseur, penaud ou triomphant, se serait mis à commenter l'incident, aurait cherché à défendre son point de vue, soit en dépréciant le gibier, soit en exagérant la distance, soit en faisant état de la mauvaise position où il se trouvait pour tirer. Toi, au contraire, tu es resté silencieux et ce silence semblait vouloir dire : « Oui, j'ai manqué l'occasion de te tuer. » Nous sommes arrivés ainsi en haut de la colline, toujours sans mot dire. Le garde-chasse, avec les chiens, nous y attendait déjà. La chasse ayant commencé entre-temps, on entendait au loin des coups de fusil. Sur le haut de la colline, les chemins que nous devions suivre se séparaient. Au moment du déjeuner – une table pour les chasseurs avait été préparée en plein bois – ton rabatteur m'a annoncé que tu étais rentré en ville.

Conrad s'apprête à allumer un autre cigare. Le général lui offre du feu, en lui tendant une chandelle, et poursuit :

– Le soir, tu es cependant venu dîner avec nous. Tu es arrivé en cabriolet à sept heures et demie, l'heure habituelle. Comme aujourd'hui, le couvert avait été mis dans la grande salle à manger et la table ornée du même surtout que celui que tu as vu, mais alors Christine se trouvait là, assise entre nous deux. Au milieu de la table, il y avait des candélabres avec des bougies bleues. Christine aimait dîner aux chandelles. En général, elle était attachée à tout ce qui rappelait le passé, la façon de vivre plus distinguée des temps révolus. Après la chasse, je suis monté directement dans ma chambre pour me changer. Je n'avais pas vu Christine au cours de l'après-midi. Le domestique m'avait annoncé qu'elle était allée en ville aussitôt après le déjeuner. Et je ne l'ai rencontrée qu'au moment de nous mettre à table. Elle nous attendait, assise devant la cheminée, un léger châle indien sur les épaules, car les jours commençaient à être frais et brumeux. Christine était en train de lire et elle ne m'avait pas entendu entrer. Un feu de bois flambait dans la cheminée. Sans doute le tapis avait-il étouffé le bruit de mes pas ou peut-être était-elle trop absorbée par ce qu'elle lisait.

– Ta mémoire est d'une précision remarquable, dit Conrad. Quel était donc le livre qu'elle lisait ?

Il pose sa question avec un vif intérêt et le général lui répond avec empressement :

– Elle était plongée dans la lecture d'un livre anglais, des impressions de voyage aux tropiques. Il est tout à fait certain qu'elle ne s'est aperçue de mon entrée qu'au moment où je suis arrivé tout près d'elle. Elle a alors levé les yeux. Te rappelles-tu ses yeux ?

– Évidemment.

– Parfait. Elle a donc levé les yeux sur moi et j'ai été frappé par la pâleur de son visage. Peut-être cette pâleur n'était-elle due qu'à la lueur des bougies... Inquiet, je lui ai demandé si elle ne se sentait pas bien. Elle n'a pas répondu et a continué à me regarder, fixement, durant un temps qui m'a paru aussi interminable et révélateur que ces instants dans la forêt, quand, immobile, j'attendais que tu dises un mot ou que tu appuies le doigt sur la détente. Christine m'a examiné si attentivement, elle a fixé sur moi un regard si scrutateur, que l'on eût dit que rien au monde ne lui importait davantage que de connaître mes pensées... de savoir ce que je croyais, ce que je savais et ce que j'en pensais. Elle paraissait tenir davantage à être renseignée sur ces points qu'à sa vie même. Ce qui est plus important que la réussite, peut-être même ce qu'il y a de plus important dans la vie, c'est de savoir ce que la victime, l'homme que nous avons choisi pour victime, pense de nous.

– As-tu communiqué tes pensées à Christine? demanda Conrad.

Penchés en avant, ils parlent maintenant en chuchotant, comme de vieux conspirateurs.

– Non, souffle le général. A ce sujet, je puis te tranquilliser… Je ne lui ai fait part de mes soupçons ni alors ni plus tard. Elle continuait à me fixer dans les yeux, comme si elle voulait me faire subir un interrogatoire. J'ai l'impression d'avoir bien soutenu son regard. Alors, et par la suite aussi, j'ai su conserver mon calme. L'expression de mon visage ne pouvait rien révéler à Christine. Au fait, durant la journée de cette chasse singulière, au cours de laquelle j'étais devenu en quelque sorte gibier, je m'étais promis de ne mentionner ni à Christine ni à la nourrice – mes deux seules confidentes – ce que j'avais appris à l'aube, dans la forêt. Mais, par contre, ne pouvant me défaire de l'idée que les démons de la folie s'étaient emparés de toi, je voulais prier mon médecin de t'observer discrètement.

– Croyais-tu vraiment que j'étais devenu fou? demande Conrad.

– A l'époque, il me paraissait impossible de trouver d'autre explication à ta conduite. Durant la matinée et l'après-midi, je me répétais obstinément, presque avec désespoir : mon ami, mon meilleur ami est devenu fou. C'est avec cette idée en tête que je t'ai accueilli le soir, lorsque tu es entré dans le grand salon. A l'aide de cette interprétation, je voulais sauver la dignité des créatures humaines en général et en particulier la tienne. Car si, n'étant pas fou, tu avais trouvé un motif quelconque pour diriger ton arme contre moi, nous aurions, nous tous, donc aussi Christine et moi, perdu notre dignité. Quand je me suis trouvé près de Christine, ses yeux remplis de stupeur et d'épouvante m'ont fait penser la même chose. Peut-être avait-elle deviné une parcelle du secret qui nous liait tous deux depuis l'aube de ce jour. Les femmes ont, en ces cas, une perspicacité vigilante, pensais-je. Tu es arrivé alors – en smoking selon ton habitude – et nous nous sommes mis à table, comme les autres soirs.

– Nous avons aussi parlé de la chasse, me semble-t-il, dit Conrad d'un ton mal assuré.

– Naturellement, nous avons commenté également la chasse. Je suis bien aise que tu t'en souviennes encore. Nous avons notamment parlé de l'impair commis par un de nos invités qui avait réussi, lui, à abattre un cerf sur lequel il n'avait pas le droit de tirer... Quant à toi, de toute la soirée tu n'as pas fait la moindre allusion à l'instant en question. Tu n'as pas parlé de ton aventure de chasse, c'est-à-dire de ce superbe cerf que tu aurais eu l'occasion de tuer. Or, une telle aventure ne doit pas être passée sous silence, surtout lorsque le héros n'est pas précisément un chasseur de premier ordre. Tu n'as pas parlé du gibier manqué et tu ne nous as pas non plus donné la raison pour laquelle tu avais quitté la chasse brusquement, pour ne réapparaître que le soir. Tout cela était évidemment étrange et ne cadrait pas avec les coutumes et les convenances de notre milieu. Si tu avais au moins trouvé une parole d'excuse pour expliquer ce qui s'était passé le matin... mais tu n'en as pas soufflé mot, comme si nous n'avions pas été ensemble à la chasse. Par contre, tu as abordé une quantité d'autres sujets. Aussitôt arrivé, tu as, par exemple, demandé à Christine ce qu'elle avait lu. Christine t'ayant renseigné, vous vous êtes longuement entretenus de ce livre. Tu as voulu savoir quel en était le titre et quelle impression sa lecture lui avait produite. Tu désirais avoir aussi des précisions sur les conditions d'existence sous les tropiques, bref, tu t'es comporté comme quelqu'un de prodigieusement intéressé par un sujet qui lui est totalement étranger.

– Mais, c'est que, précisément, je voulais partir sous les tropiques, dit Conrad sans assurance. Or ce livre...

– Ce livre, l'interrompit le général, ainsi que d'autres publications sur le même sujet, avaient été commandés par toi, et c'est toi qui avais prêté ce livre-là à Christine quelques jours auparavant. Mais le soir en question je ne le savais pas encore. Puisque j'ignorais tout des tropiques, vous m'avez exclu de votre conversation. Plus tard, quand j'ai su que vous m'aviez trompé, je me suis souvent remémoré cette scène et vos voix ont longtemps résonné à mes oreilles. J'ai dû constater, avec stupéfaction, que vous aviez rempli vos rôles avec une dissimulation extraordinaire.

Le général dit cela avec la satisfaction d'un spectateur qui commente une bonne représentation théâtrale.

– Tu as, toi aussi, bien joué ton rôle, dit Conrad sèchement.

– Oui et non, dit le général en levant nerveusement la main. N'ayant pas été mis au courant de vos projets, votre conversation n'a pas éveillé de soupçons en moi. Vous parliez des tropiques à propos d'un livre que tout le monde pouvait se procurer. Tu manifestais un vif intérêt pour savoir si, de l'avis de Christine, une personne née et élevée sous un climat non tropical serait capable d'en supporter les conditions de vie. Tu voulais savoir à tout prix ce que Christine en pensait. A moi, par contre, tu n'as rien demandé. Tu questionnais Christine avec insistance pour savoir si elle-même pourrait supporter les brumes étouffantes et la solitude des forêts tropicales... tu vois, les mots reviennent aussi. Lorsque, il y a quarante et un ans, tu t'es assis pour la dernière fois dans cette pièce, dans ce même fauteuil, tu as également parlé des tropiques, des marais, des brumes brûlantes et des pluies interminables. Et à présent, dès que tu as franchi le seuil de cette demeure, tes premiers mots ont été pour évoquer les marais, les tropiques et leurs brumes torrides. Les mots nous reviennent, c'est certain. Les choses et les mots font parfois le tour du monde. Puis, un beau jour, ils se retrouvent et leur point de jonction ferme le circuit. Voilà ce dont tu t'es entretenu avec Christine la dernière fois. Vers minuit, tu as demandé ta voiture et tu es reparti en ville. Ainsi s'est achevée la journée de la chasse, dit-il avec la satisfaction d'un vieil homme qui a bien réussi son exposé.

XV

– Dès que tu es parti, Christine s'est aussi retirée, poursuit le général après une courte pause. Elle avait laissé le livre anglais sur son fauteuil et comme je n'avais nulle envie d'aller dormir, je me suis mis à le feuilleter, à en regarder les illustrations, puis j'ai examiné attentivement les diagrammes annexés, illustrant l'évolution économique et les conditions sanitaires sous les tropiques. J'avoue avoir été étonné de constater que Christine lût un livre de ce genre. Quel intérêt pouvait-elle avoir à étudier des questions comme par exemple le développement de la production caoutchoutière ou bien l'état sanitaire des populations indigènes dans les régions tropicales ? « Tout cela ne s'accorde guère avec Christine », me suis-je dit. Après le départ des deux êtres auxquels j'étais le plus profondément attaché depuis la mort de mon père, me trouvant seul au salon avec mes réflexions, j'ai compris tout d'un coup que ce livre, lui aussi, constituait un indice, un témoignage muet.

– Tu m'aurais trouvé chez moi, cette nuit-là, lance Conrad sur un ton hostile. Pourquoi n'es-tu pas venu me voir ?

– Tu as tout à fait raison, répond le général. En effet, après tout ce qui s'était passé ce jour-là… ou, plus exactement ce qui aurait dû se passer mais qui, malgré les signes annonciateurs, n'eut pas lieu, bien qu'en nous ce fût devenu une évidence presque palpable, oui… j'aurais dû me précipiter chez toi, cette nuit même, pour te demander raison. Oui, c'est évident… Et pourtant, je n'y suis pas allé, car je commençais à comprendre le sens de la journée. En pareille circonstance, ai-je pensé, il importe d'être sur ses gardes. L'extraordinaire langage muet de la vie utilise alors tout ce qu'il peut. Tout sert d'avertissement, d'indice ; il s'agit seulement de le comprendre. Un jour les choses mûrissent et donnent une réponse à nos questions, dit-il en élevant la voix.

Puis reprenant aussitôt son calme, il continue :

– Je te demande pardon. Voilà quelles étaient mes réflexions et, dès lors, je savais pertinemment que le livre anglais était également un indice et une réponse. Ce livre signifiait que Christine voulait partir, qu'elle rêvait de pays lointains, bref, qu'elle désirait une existence différente. Peut-être voulait-elle même fuir quelqu'un ou quelque chose... Était-ce toi ? Était-ce ?... ou l'un et l'autre. Il est évident – pensais-je – que Christine pressent quelque chose. C'est pourquoi elle veut partir d'ici et c'est pourquoi elle lit ces livres de documentation sur les tropiques. Des milliers de pensées me traversaient l'esprit et agitaient mon cœur ce soir-là. Et je croyais avoir reconstitué presque tout l'enchaînement des événements. Je comprenais déjà toute l'importance de cette journée de chasse. Voilà pourquoi je n'ai pas bougé, voilà les raisons pour lesquelles je n ai pas couru après toi cette nuit-là pour te demander une explication. Cette journée avait scindé ma vie en deux, dit-il d'un ton grave. D'un côté : mon enfance, toi et tout ce que signifiait la vie pour moi jusqu'alors ; de l'autre côté, la période sombre et imprévisible qu'il me restait à vivre. Un gouffre profond séparait les deux parties. Qu'était-il arrivé ?... Aucune réponse satisfaisante ne se présentait à mon esprit. Durant toute la journée, je m'étais évertué à rester calme et maître de moi, tout au moins d'apparence, ce à quoi j'avais réussi. Lorsque Christine avait dirigé sur moi ce regard interrogateur si étrange, l'expression de mon visage ne lui avait rien révélé. Non, mon attitude ne lui a donné nulle indication sur ce qui s'était passé à la chasse. A ce sujet, je puis entièrement te rassurer.

– La chose n'était pas difficile pour toi, dit Conrad avec humeur. Tu n'avais simplement qu'à ne rien dire.

Surpris, le général le considère avec attention et demande :

– Que s'était-il passé au juste ?... Aurais-je rêvé ? Aurais-je été victime d'une hallucination ? Si j'avais raconté mon aventure, ne se serait-on pas moqué de moi ? Je n'avais en effet rien de précis, pas la moindre preuve en ma possession. Mais alors comment se fait-il qu'une voix en moi, rejetant explications, objections et doutes, clamât sans équivoque possible, et de façon plus convaincante que ne sauraient l'être tous les témoignages, que je ne m'étais pas trompé et que je connaissais la vérité ? Or, cette vérité n'était rien moins que ceci : ce matin, mon ami avait décidé de m'assassiner. Quelle accusation ridicule, ne reposant sur rien, n'est-il pas vrai ?... Pouvais-je révéler cette certitude plus atroce même que le crime perpétré ? Assurément, non et non.

A ces mots, sa voix de vieillard tremble ; il s'efforce néanmoins, au prix d'efforts évidents, de conserver son calme et continue :

– Ne devais-je pas me demander comment nous pourrions continuer à nous voir désormais, alors que la vérité m'apparaissait avec la clarté des faits les plus simples de la vie ? Pourrais-je prendre sur moi de te regarder dans les yeux ou devrions-nous, Christine, toi et moi, jouer une comédie, celle de l'amitié, qui ne serait plus que l'art de dissimuler ? Ce sont les questions que je me posais, dit-il tandis que dans la pénombre, il laisse errer un regard découragé autour de lui.

Conrad le considère avec compassion et lui dit :

– Garde ton calme, je t'en supplie.

– J'essaierai. Voilà quelle était la situation. Naturellement, je continuais à me bercer de l'espérance que tu étais devenu fou. N'avais-tu pas toujours été un peu bizarre.... différent des gens de notre milieu ? Mais, en même temps, je ne pouvais m'empêcher de sentir que m'abandonner à ces illusions n'était qu'un subterfuge vain et lâche et qu'en définitive il ne me restait qu'à affronter la réalité et reconnaître que tu n'étais ni fou ni faible d'esprit. Il n'y avait pas d'échappatoire à cela. Mais si tu étais normal, mes raisonnements devraient trouver un motif expliquant ta haine mortelle contre moi. Or, je ne trouvais pas de raison valable à cette haine. De prime abord, il fallait rejeter l'explication la plus naturelle et la plus simple, à savoir que tu étais tout d'un coup tombé éperdument amoureux de Christine et qu'à la suite d'une sorte d'égarement tu la convoitais. Nulle manifestation ni indice quelconque notés dans notre groupe amical n'autorisaient pareille supposition. Je connaissais d'ailleurs Christine et je te connaissais comme moi-même. Tout au moins, était-ce mon impression alors.

– C'est de l'orgueil, dit Conrad d'un ton tranchant. Tu n'étais que présomptueux et tu ne connaissais pas Christine.

Puis, il ajoute après une courte pause :

– Et tu ne me connaissais pas non plus très bien, tu ne te connaissais même pas toi-même! conclut-il durement, presque en colère, en fixant le général dans les yeux.

– Le crois-tu vraiment? demande le général d'une voix maintenant mal assurée. Mais, à moins d'être devenu fou moi-même, comment aurais-je pu prendre ces suppositions au sérieux? Notre existence, les circonstances dans lesquelles nous avions fait la connaissance de Christine, mon mariage avec elle et notre amitié, tout cela n'était-il pas clair, franc, limpide? Notre caractère et notre conduite pouvaient-ils prêter à la moindre critique? Comment dans ces conditions mon manque de confiance n'aurait-il pas été interprété comme une aberration?

– Ce n'est qu'à un âge avancé, dit Conrad, que l'on se rend compte comme on se connaît mal. D'ailleurs, les personnes dont tu me parles ne sont plus vivantes. A croire ce que tu viens de dire, nous ne sommes plus, toi et moi, au nombre des vivants. Tu évoques donc des personnes mortes. Les passions auxquelles tu as fait allusion sont également mortes. Ces passions-là...

– Elles ont été vivantes, intervient le général avec vivacité. A la longue, même les passions les plus secrètes ne peuvent rester cachées. Comment une passion d'une violence telle qu'elle

136

contraint celui qu'elle domine à diriger son arme contre son meilleur ami pourrait-elle rester cachée ? A un moment donné, même l'aveugle et le sourd que j'ai toujours été aurait dû remarquer quelque indice révélateur. J'ai examiné notre existence, les années pendant lesquelles nous avons vécu ensemble sous les mêmes cieux... et j'ai constaté qu'il ne s'était pas passé de semaine sans que nous ne fussions réunis une ou deux fois à ma table. Pendant la journée, nous allions ensemble en ville, à la caserne, et nous n'avions pas de secret l'un pour l'autre. Je savais ce que faisait Christine jour par jour, son cœur et son corps n'avaient pas de secrets pour moi. Quelle supposition absurde que toi et Christine... après un examen rapide, j'ai rejeté cette idée avec un véritable soulagement.

– Après avoir rejeté... cette supposition, demande Conrad prudemment, comment as-tu réussi à dissiper tes soupçons ?

– Je me suis dit, répond le général, qu'il avait dû se passer quelque chose d'autre, de plus profond et d'incompréhensible. Je sentais qu'une explication avec toi s'imposait. Je ne pouvais certainement pas te faire suivre, comme le ferait un mari jaloux dans une mauvaise comédie. D'ailleurs, je n'étais réellement pas un mari jaloux. La suspicion n'a pas réussi à s'installer en moi et pour ce qui est de Christine, j'avais une entière confiance en elle. Pour moi, elle n'était pas une femme quelconque... je l'aimais comme un collectionneur chérit le plus splendide objet de sa collection, la découverte et l'acquisition de celui-ci ayant constitué l'unique but et l'unique raison de son existence. Christine ne mentait pas et n'était pas infidèle. Je connaissais toutes ses pensées, même les plus secrètes, même celles que l'on n'ose formuler qu'en rêve. Son carnet jaune... ne l'as-tu pas vu ?

– De quoi parles-tu ? dit Conrad impatienté ! De quel carnet s'agit-il ?

– Comment, elle ne t'en aurait jamais parlé ? demande le général. Dans ce carnet que je lui avais donné au début de notre mariage, elle notait ses impressions. Nous étions tombés d'accord qu'elle y rendrait compte, pour moi et pour elle-même, jusqu'aux sentiments et pensées qui, telle la lie de l'âme humaine, peuvent être difficilement relatés de vive voix... soit qu'on en ait honte, soit qu'on trouve superflu de les traduire en paroles. Elle devait consigner tout cela en quelques mots dans ce journal singulier qui était appelé ainsi à me tenir au courant des idées et sensations que ses rapports avec les gens et les événements importants de sa vie lui inspiraient. Ceci démontrait l'intimité qui régnait entre nous. Le carnet confidentiel, ce témoignage le plus éloquent de la confiance entre un homme et une femme, était toujours rangé dans un tiroir de son secrétaire dont elle et moi étions les seuls à posséder la clé. Si Christine avait eu un secret dans sa vie, son journal m'en aurait averti. Certes, je devais admettre que depuis un certain temps nous avions omis d'avoir recours à ce petit jeu de communication confidentielle. Lorsque, au salon, j'en fus arrivé là de mes réflexions, je me suis rendu dans le boudoir de Christine, j'ai ouvert le tiroir de son secrétaire pour y prendre le carnet recouvert de velours jaune. Or, le tiroir était vide.

Le général ferme les yeux et reste quelques instants silencieux, comme s'il cherchait les mots qu'il allait dire :

– Il était minuit passé, tout le monde dans le château dormait. Christine devait aussi être couchée, aussi n'ai-je pas voulu la déranger. Elle avait sans doute pris le carnet dans sa chambre. Il sera toujours temps de lui demander le lendemain matin si elle m'avait envoyé récemment quelque message dans le langage secret de son journal. Il faut que tu saches que ce carnet confidentiel dont nous ne parlions jamais, car nous nous trouvions mutuellement gênés par les choses intimes nous concernant qu'il contenait, équivalait à une preuve continuelle d'amour. Même actuellement, je n'en parle pas volontiers. D'ailleurs, ce carnet avait été une idée de Christine... Comme je te l'ai dit, c'est elle qui me l'avait demandé pendant notre voyage de noces à Paris. C'est elle qui voulait faire ses confidences. Après tant d'années passées, maintenant que Christine est morte depuis longtemps, je puis te dire que je me suis enfin rendu compte que l'on ne se prépare scrupuleusement à se confesser avec une franchise absolue que si l'on pressent qu'un jour on aura certaines choses à avouer, termina-t-il sans trop d'assurance et en jetant un regard interrogateur vers Conrad.

– Je pense, dit celui-ci avec bienveillance, comme pour lui venir en aide, que l'on peut envisager cette hypothèse.

Le général fait de la main un geste d'incertitude et dit :

– Je me suis trouvé longtemps dans un grand embarras à propos de ce journal. J'avais tendance à considérer les messages confidentiels qu'il me transmettait sur la vie intime de Christine comme d'incompréhensibles extravagances de femme. Quand elle m'avait prié de lui procurer ce carnet, elle disait qu'elle n'aurait jamais de secret pour moi et qu'elle ne se dissimulerait rien à elle-même. C'est pour cela qu'elle voulait inscrire dans ce carnet ce qu'elle serait gênée de me communiquer de vive voix. Comme je le disais, j'ai compris bien plus tard seulement que les personnes tenant tellement à la sincérité absolue sont celles qui tremblent d'avoir un jour leur vie réellement remplie de secrets inavouables.

Comme s'il craignait que ses réflexions ne fussent entendues par d'autres personnes que Conrad, il parle de nouveau à voix basse :

– Christine voulait m'appartenir corps et âme, me donner absolument tout : ses pensées, ses sensations et ses sentiments les plus intimes. Tâche de comprendre… nous étions en voyage de noces et Christine était amoureuse. Rappelle-toi le milieu dont elle venait, ce modeste foyer provincial où elle vivait avec son vieux père malade qui ne pensait plus qu'à ses instruments de musique, à ses partitions et à ses souvenirs. Imagine ce que devait infailliblement représenter pour elle mon nom, mon château, mon hôtel à Paris, un voyage à travers le monde, tout ce qu'elle n'aurait oser désirer, même en rêve, et qu'elle a obtenu grâce à moi… Tout d'un coup la vie déversait sur elle toutes ses faveurs : le mariage, un voyage de noces à Paris, Londres, Rome et en Orient… des mois passés dans les oasis et sur la vaste mer.

N'était-il pas naturel que Christine crût qu'elle était amoureuse ? Mais, j'ai su plus tard que, même durant ces premiers mois de notre union, elle n'était pas amoureuse, elle était simplement reconnaissante.

Les mains jointes, il appuie ses coudes sur ses genoux et continue :

– Elle m'était reconnaissante, très reconnaissante à sa façon, comme peut l'être pendant un voyage de noces une jeune femme envers son mari, homme jeune, riche et distingué.

Il entrelace ses doigts et fixe des yeux les dessins du tapis devant lui.

– Elle voulait me témoigner sa gratitude à tout prix et c'est pour cette raison qu'elle eut l'idée de me demander ce cadeau étrange. Il faut que tu saches que ce journal intime a reçu, dès les premiers jours, les confessions les plus surprenantes. Dans son journal, Christine ne me faisait pas de déclarations d'amour. Ses confidences étaient, au contraire, d'une franchise inquiétante. Elle décrivait par exemple l'impression que je lui faisais. En quelques mots fort judicieusement choisis, elle notait ce qui lui plaisait et ce qui lui déplaisait en moi. Elle n'aimait pas mon assurance exagérée dans mes rapports avec les gens et, en conséquence, elle regrettait de ne pas trouver en moi modestie et humilité, vertus premières, selon ses conceptions religieuses. A cette époque-là, je n'étais, en effet, nullement modeste, dit-il en souriant.

Conrad sourit aussi et dit :

– Non, la modestie n'était pas ton fort. Cependant – je puis te le dire maintenant – à aucun moment je n'aurais aimé te voir modeste.

– D'ailleurs, comment aurais-je pu être modeste ? dit le général sur un ton presque humble. Je possédais tout ce que l'on peut désirer au monde… J'avais trouvé la femme dont les pensées, les sentiments et la sensibilité correspondaient à mes désirs. J'étais riche, considéré et j'avais trente ans. Une existence splendide m'attendait. La vie, ma carrière et mes obligations me plaisaient.

Maintenant, quand je jette un regard en arrière, je trouve mon assurance présomptueuse bien antipathique. Comme ceux qui, sans raison apparente, bénéficient des faveurs exceptionnelles des dieux, j'ai ressenti dans mon bonheur une sourde anxiété. Mon bonheur sans défaut me paraissait trop beau. Un bonheur aussi parfait effraie toujours, dit-il en jetant un regard autour de lui, comme se sentant encore menacé.

Conrad ne sourit plus et dit, sans ironie, comme prononçant un jugement :

– Tu étais favorisé par le sort, ta destinée était de le supporter.

Le général l'écoute avec attention et dit :

– J'aurais, moi aussi, consenti volontiers à sacrifier aux dieux. J'aurais accepté, sans révolte, de trouver à nos escales de mauvaises nouvelles provenant de chez moi ; d'apprendre que ma fortune et ma situation sociale se trouvaient compromises, que mon château avait été détruit par un incendie ou que le banquier qui gérait mes fonds avait fait faillite… Qui ne serait disposé, comme Polycrate, à sacrifier un anneau précieux pour apaiser les dieux ? Les hommes leur rendraient toujours volontiers une partie de leur joie, car les dieux jaloux, quand ils accordent à un mortel le bonheur pendant une année, inscrivent aussitôt, en contrepartie, une dette qu'ils réclament à la fin de la vie avec des intérêts usuraires.

– C'est exact, dit Conrad. Il faut toujours payer, finalement.

– Je suis heureux que tu sois revenu pour me donner raison à ce sujet, dit le général.

Et il continue avec calme :

– Les premiers temps, tout allait bien. Christine notait brièvement ses impressions dans son journal. Un jour, elle y inscrivit qu'à Alger, un homme l'avait suivie et lui avait adressé la parole dans une ruelle déserte. Il lui sembla qu'elle aurait pu suivre cet homme aveuglément, jusqu'au bout du monde… Christine était de nature fantasque et instable et je ne pouvais admettre que mon bonheur fût troublé par ces confidences étranges et parfois assez inquiétantes. Comme je le disais, je ne me rendais alors nullement compte que, lorsque l'on tient à montrer son âme à nu, c'est précisément pour ne pas avoir à parler d'une question qui se trouve être la seule essentielle. Je n'y ai pas non plus pensé plus tard, quand je lisais son journal. Puis, la journée la plus mémorable de ma vie est arrivée... cette journée de chasse pendant laquelle j'ai cru entendre la détonation de ton fusil et le sifflement de la balle près de mon oreille... La nuit est descendue sur nous et tu nous a quittés, mais non sans avoir examiné auparavant, en compagnie de Christine, tous les problèmes relatifs aux tropiques. Bref, ce soir-là, je restai seul à me rappeler la journée et la soirée passées ensemble et je ne trouvai pas le journal de Christine à sa place habituelle. C'est alors que je décidai d'aller le lendemain chez toi pour t'interroger...

– Tu aurais dû m'interroger immédiatement, lance Conrad avec véhémence. Le soir même ! Le lendemain... c'était évidemment trop tard.

Le général ne paraît pas l'avoir entendu et continue à parler sans prêter attention à lui :

– Les personnes dont les paroles expriment exactement la réalité de la vie sont très rares. Peut-être ces personnes forment-elles une exception rarissime. Je ne parle pas évidemment des menteurs, ni de ceux qui ne savent pas s'exprimer avec précision. Je veux dire qu'il ne nous est d'ailleurs d'aucune utilité de connaître la vérité et d'accroître notre expérience, puisqu'il nous est impossible de changer le fond de notre nature. A tout bien considérer, ce que nous pourrions obtenir à la rigueur au cours de notre existence, ce serait uniquement la mise en harmonie, sage et prudente, de notre nature réelle avec les réalités immuables du monde, dit-il sur un ton tout d'un coup teinté d'humilité.

– Il nous reste l'action, objecte Conrad avec fermeté. Moi, par exemple, j'avais pris la décision de renoncer à tout et de partir, dit-il en levant les yeux sur le général.

Celui-ci fait de la main un geste de protestation et dit d'un ton obstiné :

– Non, l'action ne nous rend ni plus sages ni plus invulnérables. Je disais donc que j'avais décidé d'aller te parler, ne me rendant pas encore compte que mes questions et tes réponses ne changeraient rien aux faits. Cependant, demandes et répliques pouvaient au moins nous rapprocher de la vérité. C'est à quoi devait aboutir mon explication avec toi. Épuisé, j'ai dormi toute la nuit, comme si j'avais fourni la veille un gros effort physique, telle une course à cheval de plusieurs heures. Il m'est arrivé une fois de traîner un ours pesant deux cent cinquante kilos, du haut d'une colline couverte de neige jusque dans la vallée. Bien sûr, j'étais alors d'une force peu commune. Mais, après coup, je me suis demandé comment j'avais réussi à déplacer ce poids considérable à travers monts et vaux. Les hommes – semble-t-il – peuvent supporter les plus lourdes charges tant que la vie conserve un sens pour eux. Parvenu dans la vallée avec la bête, je me suis effondré et j'ai dormi aussi profondément que cette nuit-là, après la chasse… j'entends, après « notre » chasse…

– Je me souviens t'avoir vu endormi tout contre l'ours, après ton exploit, dit Conrad. Je me le rappelle très bien.

Puis il ajoute sur un ton flatteur :

– Il ne faut pas oublier qu'au cours de ton existence, tu as eu plus d'une aventure de chasse !

– En effet, reprend le général. Spécialement avec les ours. Donc aussitôt réveillé, j'ai fait atteler et je me suis fait conduire chez toi. Ce n'est qu'une fois arrivé dans ta chambre que j'ai appris que tu étais déjà parti. La lettre par laquelle tu présentais ta démission de l'armée et annonçais ton intention de t'installer à l'étranger est arrivée au régiment le lendemain. Alors seulement, je me suis rendu à l'évidence de ta fuite. Par là, il s'avérait aussi que tu avais voulu m'assassiner. En outre, il devint également clair qu'ils s'était passé quelque chose dont je ne comprenais pas encore le sens. Et il était indéniable que tout cela me concernait personnellement et de façon néfaste. Ce qui était arrivé ne te touchait pas uniquement, mais me touchait également. Je me trouvais donc chez toi, dans cette pièce quelque peu mystérieuse, remplie d'objets superbes, lorsque la porte s'est ouverte et que Christine est entrée.

Il poursuit son récit avec calme, comme s'il racontait une vieille histoire à l'ami perdu de vue et enfin rentré de voyage.

Tel un officier en conversation amicale avec son supérieur, Conrad, les bras croisés sur la poitrine, l'écoute complaisamment.

— Elle est entrée et s'est arrêtée près de la porte, reprend le général. Elle arrivait de chez nous. Elle avait conduit elle-même son landaulet. « Est-il parti ? » a-t-elle demandé d'une voix étrangement voilée. Je lui ai indiqué d'un geste que tu étais réellement parti. Fine et élancée, Christine se tenait près de la porte. Jamais je ne l'avais vue aussi belle qu'à cet instant. Son visage était pâle comme celui d'un blessé qui a perdu beaucoup de sang. Ses yeux brillaient d'un éclat fiévreux, comme la veille au soir quand je m'étais approché d'elle, alors qu'elle lisait ce livre sur les tropiques. « Il s'est donc enfui », a-t-elle constaté alors d'un ton sans réplique. Elle a prononcé ces paroles comme pour elle-même. « C'était un lâche ! » a-t-elle ajouté à voix basse mais avec fermeté.

— Elle a vraiment dit cela ? demande Conrad en se penchant vers le général.

— Oui, ce furent exactement ses paroles et pas un mot de plus. Naturellement, je ne lui ai pas posé de question. Et nous sommes restés ainsi dans ta chambre sans mot dire. Christine a jeté un regard autour d'elle et a examiné l'un après l'autre les meubles, les tableaux et les objets d'art. Je suivais attentivement son regard qui semblait adresser un dernier adieu à chaque objet. Tu n'ignores pas qu'il y a deux façons de regarder les choses, soit avec des yeux qui découvrent ce qu'ils aperçoivent, soit avec des yeux qui prennent congé. Christine regardait autour d'elle sans aucune surprise, avec une telle simplicité et un tel naturel que l'on eût dit qu'elle se trouvait dans son propre foyer où elle connaissait l'emplacement de chaque chose. En même temps, ses yeux cernés lançaient des éclairs. Elle paraissait vouloir se dominer, mais je sentais qu'elle était sur le point de te perdre et de me perdre. Un regard, un mouvement incontrôlé... une parole échappée, aurait pu avoir pour elle des conséquences irrémédiables. Elle regardait les tableaux sans manifester un intérêt particulier. Elle a jeté un regard hautain au large divan et, la fraction d'une seconde, elle a fermé les yeux. Puis elle a fait demi-tour et a quitté la pièce comme elle y était entrée : sans rien me dire. Je ne l'ai pas suivie, mais par la fenêtre, je l'ai vue traverser le jardinet. Elle a longé une rangée de rosiers en fleur, est montée dans sa voiture qui se trouvait près de la grille, a saisi les guides et est partie. L'instant suivant, elle avait disparu au coin de la rue...

Le général s'interrompt, regarde son hôte et lui demande :

— Est-ce que je ne te fatigue pas ?

— Non, répond Conrad. Continue, je t'en prie.

— Je suis obligé de m'étendre sur les détails, dit-il comme pour s'excuser. C'est indispensable, car sans eux, on ne comprendrait pas l'essentiel... Il est impossible de savoir à l'avance quels sont les détails ou paroles qui prendront de l'importance par la suite. Et puis, il faut procéder par ordre en toute circonstance. Je n'ai plus grand-chose à raconter d'ailleurs ; j'aurai bientôt terminé. Donc Christine est rentrée chez elle dans le landaulet, répète-t-il, comme si cette précision avait aussi son importance.

— Tu es resté seul dans ma maison ? intervient Conrad. Qu'y as-tu fait après le départ de Christine ?

— Que pouvais-je faire ? Mon regard restait attaché à l'endroit où Christine avait disparu. Puis soudain, je me suis rappelé que ton ordonnance devait être postée dans le vestibule. Je l'appelai, il se présenta aussitôt et se mit respectueusement à mes ordres. « Quand le capitaine est-il parti ? lui ai-je demandé. – Ce matin, par le rapide, en direction de la capitale. – Emportait-il beaucoup de bagages ? – Non, mon capitaine, uniquement quelques vêtements civils. – A-t-il laissé des instructions ou un message ? – Il a dit qu'il ne garderait pas cet appartement et que les meubles seraient à vendre. C'est M. l'avoué qui est chargé de la liquidation. Moi, je devais retourner au régiment », a précisé M. le capitaine. Nous sommes restés un moment à nous regarder et je n'oublierai jamais son expression à ce moment-là. Ce garçon de vingt ans, ce fils de paysan, dont tu te rappelles sans doute le visage intelligent et ouvert, a tout à coup abandonné son garde-à-vous et le regard fixe réglementaires. Son attitude n'était plus celle du troupier en face de son supérieur.

– Qu'a-t-il fait ? demande Conrad.

– Son regard, à partir de cet instant, dit le général, était plutôt celui de quelqu'un qui sait certaines choses et il exprimait de la pitié envers la personne sur laquelle il était posé. Il reflétait une profonde compassion qui m'a fait pâlir puis monter aussitôt le sang au visage. Pour la première fois, j'ai perdu, moi aussi, le contrôle de mes actes. Je m'approchai de l'ordonnance, je l'empoignai par sa tunique et je le soulevai en l'air. Haletants, nous nous observions et dans le regard du troupier je notai son effroi, mais en même temps une expression toujours compatissante. Tu te souviens certainement qu'autrefois il valait mieux ne pas défier mes poings !

– En effet, dit Conrad. Tu possédais des poings redoutables. Mais, continue, je t'en prie.

– Ils étaient capables d'écraser sans pitié ce qui se trouvait à leur portée, dit le général en souriant. Je le savais également et je sentais que nous étions tous deux, ton ordonnance et moi, en danger. Aussi l'ai-je lâché et laissé retomber comme une masse de plomb. Ses grosses chaussures ont heurté violemment le parquet et aussitôt, il s'est remis au garde-à-vous devant moi, comme à une revue. J'ai sorti mon mouchoir pour m'éponger le front. Une question à poser devait suffire... et cet homme que j'avais à ma merci devait me répondre.

– Et quelle était cette question ? demande Conrad d'une voix forte.

Le général élève aussi la voix :

– Cette question devait être : « La dame qui était là, tout à l'heure, est-elle déjà venue ici auparavant ?... » S'il ne m'avait pas répondu sur-le-champ, je l'aurais assommé et s'il m'avait répondu, peut-être l'aurais-je aussi tué... et peut-être pas seulement lui... car, en des moments pareils, il n'y a plus d'amitié ni d'amour qui comptent. Mais je savais aussi que toute question était superflue. Je savais déjà que Christine était venue dans cette maison précédemment et non pas seulement une fois, mais souvent.

Il rejette le buste en arrière et d'un mouvement lent, pose ses coudes sur les bras de son fauteuil.

– Interroger ce troupier n'avait plus aucun sens, constate-t-il. Ce que j'avais encore à apprendre ne devait pas m'être appris par un étranger. Il me fallait connaître la raison de tout ce qui était arrivé, établir ce qui sépare un homme d'un autre homme, et savoir où commence la trahison... Voilà ce qu'il me restait à découvrir. Et je devais aussi savoir quelle était ma part de responsabilité dans tout cela...

Il dit ces mots très doucement, sur un ton hésitant et désabusé, semblant indiquer que la question qui a ravagé son âme durant quarante et un ans et à laquelle il n'a pas obtenu de réponse, il vient de la formuler à haute voix pour la première fois.

XVI

– Il n'est pas vrai que les hommes ne peuvent faire autrement que de supporter leur destin, dit le général.

Au-dessus d'eux, les bougies brûlent en minces flammes vacillantes et les mèches noircies fument. Dehors, nulle lueur si petite fût-elle ne perce la nuit. La ville, au loin, est plongée dans l'obscurité.

– Les hommes peuvent aussi le diriger. Ils déterminent euxmêmes ce qu'il doit leur arriver. Ils attirent leur destin à eux et ne s'en séparent plus. Les hommes sont ainsi faits qu'ils agissent comme ils doivent le faire, même si de prime abord ils savent que leurs actes leur seront néfastes. L'homme et son destin font cause commune. Ils se prêtent serment et se forment l'un l'autre. Le destin n'intervient pas aveuglément dans notre vie. Disons plutôt qu'il y pénètre par la porte que nous lui avons ouverte nousmêmes, en l'invitant poliment à entrer. Car nul être humain ne possède assez de puissance et d'intelligence pour écarter, avec des mots et des actes, le malheur qui résulte de sa nature, de son caractère, suivant des lois impitoyables. En as-tu fait l'expérience dans ta vie ? demande-t-il d'une voix qui trahit sa fatigue.

– Oui, répond Conrad, sur un ton compréhensif. On n'échappe jamais à ces lois. Mais, si tu te sens fatigué, restons-en là.

Ils échangent un regard cordial.

– Non, dit le général. Il faut que je te dise encore certaines choses, car ici, je n'ai plus à qui parler de tout cela. N'ai-je donc réellement rien appris à ton sujet et au sujet de Christine?... Je veux dire plutôt, ne me suis-je vraiment rendu compte de rien pendant ou au début de cette histoire dont nous étions les acteurs et les victimes? C'est toi qui m'a présenté à Christine que tu connaissais depuis son enfance. Tu avais fait copier de la musique par son père... Les mains de ce vieil homme, déformées par la goutte, pouvaient encore servir pour ce travail, mais n'étaient plus capables de tenir un archet ni de tirer du violon des sons enchanteurs comme naguère. Il avait dû renoncer prématurément à donner des concerts et devait se contenter d'enseigner la musique dans une petite ville de province à des élèves peu doués. La copie ou la mise au net des créations de riches compositeurs-amateurs lui assurait quelques maigres ressources complémentaires. C'est ainsi que tu as fait la connaissance du père de Christine et de Christine elle-même. Elle avait à cette époque...

– Dix-sept ans, dit Conrad, qui regrette ensuite sa précipitation à donner ce renseignement.

– Oui, elle avait dix-sept ans et sa mère, qui avait cherché à guérir son cœur malade dans un sanatorium de sa petite patrie d'origine, le Tyrol du Sud, ne vivait plus alors. Vers la fin de notre voyage de noces, je me suis rendu avec Christine dans une station balnéaire. Nous avons visité le sanatorium, car Christine voulait voir la chambre où sa mère était morte. Nous étions arrivés l'après-midi à Arco, en automobile. Notre route avait suivi les rives fleuries et bordées d'orangers du lac de Garde. Nous étions descendus à l'hôtel Riva d'où la vue s'étendait sur une région plantée d'oliviers au feuillage gris argenté, sur un vieux château dominant la vallée et sur le sanatorium qu'à travers l'air tiède et vaporeux nous apercevions parmi les rochers. Les palmiers d'espèces diverses, l'éclairage d'une délicatesse surprenante et l'atmosphère lourde me donnaient l'impression d'être dans une serre chaude. Le bâtiment jaune, où la mère de Christine avait vécu ses dernières années, avait une apparence pathétique, comme s'il renfermait toute la tristesse humaine. Il me semblait qu'à Arco les souffrances des malades reflétaient les déceptions et les incompréhensibles accidents de la vie. Christine fit le tour du bâtiment. Le calme, l'odeur des plantes grasses du Sud, les émanations tièdes et parfumées me troublaient. C'est là, à Arco, que je sentis pour la première fois que Christine ne m'appartenait pas entièrement. J'y ai entendu une voix venant de loin, la voix triste et raisonnable de mon père. C'était de toi, Conrad, que mon père me parlait.

Le général venait de prononcer pour la première fois de la soirée le nom de son hôte et cela sans humeur.

– Je ne lui ai jamais été très sympathique, dit Conrad.

– Je ne dirais pas cela, reprend le général sur un ton conciliant. Mon père disait jadis que tu n'étais pas un vrai militaire, que tu étais différent... Alors, je n'avais pas très bien compris en quoi tu étais différent de nous. Plus tard, seulement, après beaucoup d'heures passées dans la solitude, j'ai constaté que dans la vie il est perpétuellement question de gens qui sont « différents ». Les relations entre hommes et femmes, entre amis, oui, même les relations entre les autres catégories de personnes, dépendent de cette question d'hétérogénéité, qui divise les gens en deux camps. Parfois, j'ai même tendance à croire que les différences entre les classes sociales, les conflits provenant de nos conceptions sur l'univers et les luttes pour le pouvoir, bref toutes les tensions inhérentes à l'humanité, proviennent de ce que les hommes sont différents les uns des autres.

Et comme le général s'arrête de parler, Conrad demande avec émotion :

– A quoi cela tient-il? Peut-être à une différence de nature?

Le général fait de la main un geste d'incertitude et dit :

– Différence de nature, dis-tu?... Il se peut. Toutefois, est-ce concevable? Nos idées religieuses, les conceptions que nous avons sur le monde et la vie, par exemple sur la lutte des classes et sur la sélection sexuelle... peuvent-elles avoir été déterminées par des tempéraments différents? De même qu'en cas d'accident seuls les individus du même groupe sanguin peuvent s'entraider en donnant leur sang, sur le plan spirituel un être humain ne peut secourir autrui que si l'être à secourir n'est pas de nature différente, c'est-à-dire si celui-ci possède une conception des choses similaire et une certaine parenté spirituelle.

Conrad objecte timidement :

– La comparaison que tu établis avec les groupes sanguins ne me paraît pas juste. Des rapports spirituels ne peuvent être comparés aux rapports entre les groupes sanguins. Des personnes de mentalité différente, de caractère dissemblable, doivent pouvoir s'entraider en cas de danger.

– C'est ton opinion, dit le général sèchement. La mienne est autre. A l'époque dont nous parlons, j'ai compris en tout cas que Christine était de « nature différente », ce qui signifiait la fin de notre bonheur… Subitement, les paroles de mon père me sont revenues à l'esprit. Mon père ne lisait certainement pas de livres scientifiques sur la psychologie, il se contentait de lire des études historiques, mais les années et la solitude lui ont appris à connaître les vérités humaines. La question de la mésentente entre les hommes ne lui était pas étrangère, puisqu'il avait rencontré une femme qu'il a aimée et près de laquelle il s'est néanmoins trouvé seul, lui aussi. Dans le cas de mes parents, ce sont aussi deux êtres différents, deux tempéraments, deux rythmes de vie dissemblables qui se sont heurtés, car ma mère, tout comme Christine, était « différente ».

– Et c'est à Arco que tu as découvert cela ? demande Conrad, en le regardant avec étonnement.

– Oui, à Arco, réplique le général d'une voix forte. Mais à Arco, j'ai aussi appris autre chose. Les sentiments que j'ai éprouvés pour ma mère, pour toi et pour Christine étaient de nature identique. Ils étaient faits de la même nostalgie, des mêmes espérances et des mêmes efforts de volonté impuissants. C'est qu'en réalité nous aimons toujours ceux qui sont différents de nous… Ce sont eux que nous recherchons sans cesse dans la vie. Tu ne dois pas l'ignorer, toi non plus ? demande-t-il avec intérêt en tournant la tête vers Conrad.

Celui-ci sourit avec indulgence et dit :

– Tu as raison et je suis heureux d'être d'accord avec toi à ce sujet.

– Voilà donc un des secrets de notre existence! dit le général sur un ton sarcastique. Lorsque, par hasard, deux êtres qui ne sont pas de nature différente se rencontrent, quelle félicité! C'est le plus beau cadeau du sort. Malheureusement, les rencontres de ce genre sont extrêmement rares et il semble, de toute évidence, que la nature se soit opposée à l'harmonie par la ruse et la violence, sans doute parce que, pour recréer le monde et rénover la vie, il lui est indispensable que subsiste cette tension entre les humains, harcelés par des tendances contradictoires et des rythmes dissemblables, mais qui néanmoins cherchent à s'unir coûte que coûte. Où que nos regards se portent, nous voyons cette alternance, cet échange d'énergie entre le pôle positif et le pôle négatif. Imagine la somme de désespoir et de vaines espérances que cela représente...

Conrad lui rappelle amicalement qu'il avait commencé à parler d'Arco.

Le général se concentre un instant et poursuit :

– Oui, en effet, c'est à Arco que j'ai entendu les paroles de mon père... J'ai compris que le destin paternel se prolongeait en moi. Comme lui, je suis infailliblement attaché aux personnes différentes de moi... Mon caractère est pareil au sien et j'ai hérité de ses goûts. Quant à ma mère, à Christine et à toi, vous êtes sur l'autre rive. Chacun de vous remplissait un rôle distinct dans ma vie – celui de mère, celui d'ami, celui d'épouse – mais, en même temps, par rapport à moi, vous remplissiez la même fonction. Vous étiez, en effet, tous les trois sur l'autre rive, là où je n'ai jamais réussi à parvenir... où je ne parviendrai jamais. Le destin peut tout nous accorder et nous pouvons tout lui arracher, mais nous ne pouvons jamais changer les goûts, les penchants et le rythme de vie d'un autre et nous luttons en vain contre cette « nature différente » qui caractérise essentiellement l'être que nous aimons. J'ai compris tout cela pour la première fois à Arco, lorsque Christine a fait silencieusement le tour de la maison où sa mère était morte.

Il s'appuie au dossier de son fauteuil et fait de la main un geste de lassitude. Son attitude indique qu'il en a pris son parti et il continue :

– Après avoir quitté Arco, nous sommes rentrés ici et nous avons commencé à organiser la vie à notre foyer. Tu sais le reste. C'est toi qui m'as présenté à Christine, mais tu t'es bien gardé de m'avouer qu'elle te plaisait à toi aussi. Pour ma destinée, le fait d'avoir rencontré Christine était indiscutablement plus décisif que n'importe quel autre événement de ma vie. Christine n'était pas de race pure. Elle avait dans ses veines un peu de sang allemand, un peu de sang italien et, pour le reste, du sang hongrois... Par son père, elle avait peut-être aussi une goutte de sang polonais. Son aspect ne permettait son classement dans aucune race ni classe. On aurait dit que la nature s'était plu à créer, pour une fois, un être indépendant et libre, qui n'aurait eu véritablement rien de commun avec un groupe humain quelconque. En quelque sorte, Christine faisait penser à un jeune animal.

– A un jeune animal ? demande Conrad surpris et choqué.

– Son éducation soignée, continue le général imperturbable, les années passées dans une institution religieuse, la grande culture de son père et la façon délicate dont il la traitait n'ont pas changé sa vraie nature. Au fond, elle est toujours restée une petite sauvage. Ma fortune et ma situation sociale, tout ce que j'ai pu lui apporter n'avait pas d'importance réelle pour elle. C'est pourquoi elle ne voulait abandonner à la société dans laquelle je l'avais introduite la moindre parcelle de sa liberté et de son indépendance de caractère qui constituaient sa véritable personnalité. Sa fierté, d'un tout autre genre que celle des personnes s'enorgueillissant de leur titre, origine, fortune, situation sociale ou dons particuliers, dérivait de son indépendance et de sa liberté d'esprit... lesquelles agissaient en elle tel un poison héréditaire. Tu sais toi-même que cette femme était intérieurement une vraie aristocrate. Des êtres pareils sont extrêmement rares, tant parmi les hommes que parmi les femmes. Évidemment, il ne s'agit pas d'êtres privilégiés de par leur naissance ou leur situation sociale. Personne n'arrivait à offenser Christine. On ne pouvait la mettre dans une situation qui l'eût intimidée, mais elle n'admettait pas non plus qu'on la tînt d'une façon quelconque entre les barrières. D'autre part – chose exceptionnelle chez les femmes – elle avait un sens profond de sa dignité. Te souviens-tu qu'à l'occasion de ma première visite chez Christine, les cahiers de son père étaient éparpillés sur les tables et les chaises de la pièce et que l'apparition de Christine inonda soudain de clarté la petite salle obscure ?

– Conrad répond comme à contrecœur :

– Je ne m'en souviens qu'assez vaguement.

Le général continue avec enthousiasme :

– D'ailleurs, elle n'apportait pas seulement sa jeunesse, mais aussi la passion, l'orgueil et la fierté souveraine de ses sentiments libres de toute contrainte. De ma vie, je n'ai rencontré une autre personne possédant une compréhension aussi parfaite que celle de Christine pour toutes les manifestations de la vie, pour la musique, pour une promenade, le matin, dans la forêt qui s'éveille, pour la couleur et le parfum d'une fleur, pour les paroles intelligentes, justes qu'on lui adressait. Personne ne savait toucher ni manier une belle étoffe ou un jeune animal aussi parfaitement qu'elle. Personne qui sût, comme elle, se réjouir des choses les plus simples de la vie. Hommes et bêtes, astres du ciel et livres, bref tout parvenait à la toucher. Mais elle n'affectait pas un intérêt prétentieux et ne truffait pas sa conversation de citations techniques recueillies dans les livres, comme le font les bas-bleus. Elle accueillait, au contraire, tout ce que la vie pouvait lui offrir avec la joie candide d'un enfant. J'avais constamment l'impression qu'elle avait des attaches personnelles avec les manifestations du monde entier... Comprends-tu cela ?

Sans le regarder, Conrad lui demande à son tour d'un ton embarrassé :

– Pourquoi me poses-tu cette question à moi ?

– A qui d'autre pourrais-je la poser ?... Nous sommes les seuls, toi et moi, à l'avoir connue. Je suis l'homme qui l'a aimée.

Et toi l'homme qu'elle a aimé. Mais il est en effet inutile de te questionner. Tu as certainement très bien compris tout cela… A son esprit compréhensif, libre de tout préjugé, s'alliait en elle une humilité profonde, comme si elle sentait constamment quelle faveur et quel don précieux était la vie. Parfois, je vois encore devant moi son visage, dit-il avec émotion.

Et il ajoute :

– Tu ne trouveras plus son portrait dans cette demeure. Je n'ai pas de photographie d'elle et le grand tableau, œuvre du peintre autrichien, qui était pendu entre le portrait de mon père et celui de ma mère, a également été enlevé. Non, tu ne trouveras plus le portrait de Christine sur les murs de ce château, répète-t-il avec une sorte de satisfaction, comme s'il parlait d'un petit exploit.

– Moi, je n'ai pas non plus conservé son portrait, dit Conrad d'un ton désolé.

– Bien, tu n'as donc pas non plus de portrait d'elle. D'ailleurs les portraits ne sont pas indispensables. Même sans eux, quand je somnole, je vois son visage. En ce moment, pendant que nous sommes là à causer, après quarante et une années, je la vois, comme je la voyais lorsqu'elle se trouvait assise entre nous deux. Il faut que tu saches que la veille de ton départ, ce fut le dernier repas que nous avons pris ensemble avec Christine, non pas seulement en ta compagnie, mais aussi elle et moi, car ce soir-là, entre nous trois, tout a été fini comme cela devait arriver. Christine étant telle que nous la connaissions, il était à prévoir que certaines décisions seraient prises. En effet, toi, tu es parti sous les tropiques… quant à Christine et à moi, nous n'avons plus jamais échangé une parole. Elle a vécu encore huit années, mais nous ne nous sommes plus adressé la parole.

Conrad le considère avec stupeur et la voix étranglée lui demande :

– Vous deux… vous n'auriez plus échangé une parole ?

– C'est ainsi que le voulait notre nature, répond le général. Peu à peu je suis arrivé à comprendre ce qui s'était passé ! En premier lieu il y a eu la musique. Dans la vie des hommes, certaines situations se répètent périodiquement, immanquablement, comme un leitmotiv. Entre ma mère, Christine et toi, la musique a joué le rôle d'agent de liaison. Elle vous a permis de vous communiquer se qui ne pouvait s'exprimer par des paroles et des actions. Pour vous, la musique était un langage parfaitement clair. Mais nous, mon père et moi, nous n'étions pas à même de comprendre ce langage et pour cette raison nous sommes restés isolés de vous. Grâce à la musique, Christine et toi, vous pouviez vous entendre, alors que toute possibilité d'entente entre Christine et moi avait disparu. Aussi ai-je la musique en horreur, dit-il plus fort et, pour la première fois de la soirée, le ton de sa voix devient violent.

– De quoi parles-tu au juste? demande Conrad nerveusement. Que veux-tu dire à propos de la musique?

– Je hais ce langage mélodieux incompréhensible, dit le général d'une voix étouffée et presque haineuse. J'abhorre ce langage secret dans lequel certaines personnes s'entretiennent, se communiquent des choses vagues, irrégulières, oui, je pense souvent qu'il leur sert même à se dire des choses immorales... Observe comme se transforme le visage de ceux qui écoutent de la musique... Je ne me rappelle pas que vous ayez jamais joué à quatre mains, toi et Christine. Tout au moins, en ma présence, elle ne s'est jamais installée au piano à côté de toi. Apparemment, moi présent, une sorte de pudeur l'a empêchée de s'abandonner à la musique en ta compagnie... Puisque la musique est indéfinissable, elle doit être dangereuse. Il ne peut en être autrement, puisqu'elle touche, avec une violence incroyable, les personnes qui appartiennent à une même catégorie, non seulement en raison de leur ouïe musicale, mais aussi de leur race et de leur destinée. N'es-tu pas de cet avis?

– Mais si, je suis absolument de cet avis, répond Conrad.

– Ceci me tranquillise, reprend le général. Le père de Christine, qui s'y entendait en musique, partageait aussi cette opinion. Il est la seule personne avec laquelle je me suis entretenu une seule et unique fois de cette question, à savoir : de la musique, de toi et de Christine... A cette époque, il était déjà bien vieux.

D'ailleurs, peu de temps après notre entretien, il est mort. Je venais de rentrer de la guerre. Christine reposait sous terre depuis déjà une dizaine d'années. Tous ceux qui naguère comptaient pour moi : mes parents, toi et Christine, avaient cessé de vivre ou étaient partis. Seules, deux personnes âgées, Nini et le père de Christine, étaient encore vivantes. Une tranquillité d'âme singulière et la volonté tenace de la vieillesse les maintenaient en vie, pour Dieu sait quelle raison… Tout comme nous présentement.

– Nous attendons… se risque à dire Conrad.

Mais le général lui prend la parole :

– Nous attendons la mort. Ce n'est pas gai, mais c'est la seule possibilité qui nous reste. Comme je te le disais, à l'époque dont je parle, tous les miens étaient morts. Quant à moi, je n'étais plus jeune, étant plus près de la cinquantaine que de la quarantaine et je me sentais aussi seul qu'un certain arbre de ma forêt. Je fais allusion à cet arbre autour duquel, la veille de la déclaration de guerre, une terrible bourrasque a tout ravagé. Seul cet arbre, dans une clairière près du pavillon de chasse, a été épargné. Durant le quart de siècle écoulé depuis lors, la partie ravagée a été reboisée. Mais le vieil arbre, qui est seul parmi les jeunes plants, se trouve solitaire, l'ouragan – ce violent passionné de la nature – ayant détruit tout ce qui l'entourait et lui appartenait.

Le général se lève, va à petits pas à la fenêtre et, après avoir jeté un regard sur les alentours encore plongés dans l'obscurité, il dit :

– Il est là ce vieil arbre. Il continue à vivre avec vigueur et ne s'interroge pas sur le but de son existence. Quel pourrait être ce but ? A mon avis, aucun. Apparemment, la vie n'a pas d'autre but que de se continuer jusqu'à l'extrême limite de ses possibilités. Je n'en vois pas d'autre.

Après cette constatation, il s'arrête de parler, un peu confus. Il retourne lentement à son fauteuil, s'y assied et dit, sur un ton décontenancé, comme quelqu'un qui a énoncé une chose incongrue :

– J'étais donc revenu de la guerre et j'ai eu cet entretien avec le père de Christine. Que savait-il de nous trois ?… Il savait absolument tout... Nous étions assis dans une pièce obscure, parmi de vieux meubles et des instruments... La musique mise en notes, le fracas et le bourdonnement des instruments, exprimés en caractères d'imprimerie, remplissaient la pièce. De plus, on y sentait une telle odeur de vieillerie que l'on avait l'impression que toute vie et toute présence humaines s'en étaient retirées. Le vieillard m'a écouté et a répondu très brièvement : « Que veux-tu donc ? Ne leur survis-tu pas à tous ? » Il a dit cela, comme s'il prononçait un verdict ou comme s'il lançait une accusation. Pendant ce temps-là, ses petits yeux de vieillard clignotaient de fatigue. Il était réellement très vieux ; il avait plus de quatre-vingts ans. Les paroles de ce vieil homme m'ont fait comprendre que celui qui survivait n'avait pas le droit d'accuser les morts. Le survivant a gagné son procès et, de ce fait, perdu le droit de se dresser en accusateur. En définitive, n'est-ce pas lui qui s'est révélé le plus fort, le plus rusé et le plus violent ? Comme nous deux. Puis, le père de Christine est mort à son tour. Il ne restait plus en vie que ma nourrice et toi, quelque part dans le vaste monde ; enfin, ici : le château, la forêt qui l'entoure et moi-même, qui ai survécu à la guerre.

— En effet, dit Conrad lentement, tu as fait ton devoir.

— Mon devoir ? demande le général avec étonnement. Oui, selon l'expression consacrée. Mais en réalité, je n'ai pas cherché la mort et, en nulle occasion, je ne me suis précipité vers elle. Voilà la vérité. Et prétendre le contraire serait mensonger. Sans doute me restait-il encore une tâche à remplir sur cette terre, ajoute-t-il songeur.

— Crois-moi, si je... commence Conrad en cherchant ses mots. Il ne m'était pas facile de vivre... j'entends de continuer à vivre sous les tropiques, pendant que la guerre faisait rage ici.

Sans lever les yeux sur lui, le général l'approuve d'un mouvement de tête et dit négligemment :

— Oui, je comprends qu'il t'était pénible de vivre pendant la guerre, mais c'était là ton destin. Oui, cela devait être très pénible. Ici, tandis que les gens mouraient autour de moi, j'ai appris à connaître toutes les variétés de la mort. J'étais stupéfait des innombrables possibilités d'anéantissement. N'oublions pas que ce n'est pas seulement la vie, mais aussi la mort qui possède une grande imagination. Dix millions d'hommes ont trouvé la mort à la guerre, c'est du moins le chiffre qui a été donné. Le monde se trouvait en flammes et l'on aurait pu croire que, dans l'immense brasier, les problèmes et les passions individuels seraient également consumés. Mais ils ont échappé à l'incendie. Pour ma part, au milieu de la plus atroce misère humaine, je savais que j'avais encore une question personnelle à régler. C'est pourquoi je n'ai été réellement ni lâche ni téméraire. Je dirais plutôt que j'ai constamment conservé mon calme même dans les luttes les plus acharnées et dans les attaques les plus meurtrières, car je savais que rien de grave ne pouvait m'arriver.

— Je connais ce sentiment, dit Conrad. Je n'ai pas pu participer à la guerre… mais je connais pourtant cette impression. C'est comme si l'on devait sans cesse attendre quelque chose.

— C'est bien possible, reprend le général. Nous avions encore l'un et l'autre une tâche à accomplir… J'entends que chacun de nous avait encore une certaine question à régler, à sa façon. Rentré de la guerre, j'ai continué à attendre. Le temps passait et le monde fut à nouveau incendié. Oui, je sais, il s'agissait toujours du même incendie, à la seule différence que celui-ci reprenait avec une violence nouvelle… Et en moi, se trouvait posé le même problème que deux guerres, les ruines et les cendres qui s'accumulaient ne sont pas parvenues à résoudre.

— Ce n'est plus notre guerre, dit Conrad. Nous sommes vieux. C'est maintenant la guerre des hommes nouveaux.

— Non, c'est toujours la même guerre, objecte le général. Le monde est encore une fois en feu et des millions d'individus sont sacrifiés. Dans cet univers dément, toi qui étais de l'autre côté de la barricade, tu as cependant trouvé le chemin te conduisant au pays, afin de régler avec moi ce que nous avons été incapables de résoudre il y a quarante et un ans. La force de la nature humaine est de ne pouvoir subsister sans obtenir une réponse à la question qui lui paraît la plus importante.

– Et toi, tu veux obtenir une réponse ? demande Conrad.

– De même que toi, reprend le général avec calme. C'est pour cela que tu es revenu et que je t'ai attendu. Il se peut que ce monde-ci touche à sa fin, dit-il en baissant la voix et en indiquant ce qui l'entoure d'un geste las de la main.

– Ce monde-ci ? interroge Conrad. Qu'entends-tu par là ? Tu parles du monde en général ou de notre monde ?

Le général répond lentement et avec résignation :

– Il se peut que la lumière qui éclaire notre univers s'éteigne et que nous soyons plongés dans une obscurité pareille à celle de cette nuit. Peut-être même quelque cataclysme, pire que la guerre, est-il déjà déclenché et, dans l'âme humaine, partout, les choses évoluent-elles de telle façon que tout ce qui doit être réglé le sera par le feu et par l'épée. Il se peut que cette réponse soit réellement arrivée.

Conrad fixe le général et dit doucement :

– Il y a des gens qui le croient.

– Et toi ? demande le général.

– Je pense que dans le monde entier il existe des éléments positifs et qu'en définitive, ce sont ceux-ci qui triompheront, dit Conrad sans trop d'assurance.

Le général ne paraît pas avoir entendu sa réponse et dit :

– Il se peut que la façon de vivre, transmise par nos parents, que les principes selon lesquels nous avons été élevés, que ce château, notre repas de ce soir… même les mots dont nous nous sommes servis pour débattre les problèmes de notre vie, oui, il est possible que tout cela appartienne au passé. On dit qu'il y a dans le cœur des hommes trop de tension, de passion et de soif de vengeance. Si nous examinons notre propre cœur, qu'y trouvons-nous ? De la passion ! Il faut aussi que nous sachions que la vieillesse n'est jamais harmonieuse. Le temps peut affaiblir mais n'arrive pas à étouffer les passions. Aussi, comment croire que les autres sentent et agissent différemment ? Et nous, des hommes enfin assagis, parvenus au terme de notre existence, comment aurions-nous le droit de chercher encore à nous venger? Nous venger de qui? Assouvir notre soif de vengeance sur nous-mêmes ou sur la mémoire d'une personne morte? Ce sont là désirs insensés, s'écrie-t-il, en faisant le geste de chasser des fantômes.

Conrad dit pour l'apaiser :

– N'oublie pas que, pour nous, les passions n'ont plus le sens commun.

Le général reprend avec force :

– Elles n'ont, en effet, plus beaucoup de sens. Néanmoins, elles restent dans notre cœur. Pour quelle raison attendre autre chose du monde, de ce monde rempli de désirs inconscients, de passions et de violences? Alors que les jeunes gens d'un pays se précipitent baïonnettes en avant sur les jeunes gens d'un autre pays, que des hommes qui ne se connaissent pas s'exterminent et que tout ce qui était soumis à des règles et à des accords sacrés ne compte plus pour rien! Seules les passions vivent, nous brûlent et en appellent au ciel… Oui, seule la soif de vengeance! Je suis revenu de la guerre où les occasions de mourir n'ont pas manqué. Mais je ne suis pas mort, car j'attendais de pouvoir me venger.

– De quoi voulais-tu te venger? demande vivement Conrad.

Le général lui lance un regard hautain et dit :

– Je note à ton regard que tu ne comprends rien à cette soif de vengeance. A quelle sorte de vengeance deux vieillards que guette déjà la mort, dont les proches sont disparus, pourraient-ils donc songer?… C'est la question que je lis dans tes yeux. Et je te réponds qu'il n'y a plus qu'une seule vengeance, dit-il lentement en détachant chaque mot. Par temps de guerre et de paix, cette vengeance m'a maintenu en vie durant quarante et une années. Elle m'a empêché de mettre fin à mes jours et – grâce au destin – aux jours d'autrui. Elle m'a aussi évité d'être tué par un autre. Or, à présent, la vengeance est là, comme je l'avais constamment désirée. Cette vengeance consiste en ceci : après ton retour auprès de moi, à travers un monde en flammes, par des mers semées de mines, tu te trouves enfin sur les lieux de tes actes pour me rendre raison et pour que nous connaissions la vérité. Maintenant tu auras à répondre.

Le général prononce ces derniers mots à voix basse, si basse que Conrad se voit obligé de se pencher vers lui pour mieux les entendre.

– D'accord, dit ce dernier. Peut-être as-tu raison. Interroge et je te répondrai, si je le puis.

La lumière des chandelles décroît. La brise du matin se lève parmi les arbres du jardin. Dans le salon, autour des deux amis, il fait presque nuit.

XVII

– T U dois répondre aux questions que je vais te poser, reprend le général à mi-voix. Je les ai préparées pendant les années où je t'attendais. Je t'en poserai seulement une ou deux auxquelles tu es le seul à pouvoir répondre.

Le buste droit, les mains sur les genoux, il continue :

– Tu penses, sans doute, que je voudrais savoir si le matin de cette chasse je ne me suis pas trompé en supposant que tu avais eu l'intention de me tuer ?

Conrad l'écoute avec attention et comme il n'approuve même pas d'un cillement d'yeux, le général reprend :

– Tu crois qu'en second lieu je te demanderai si tu as été l'amant de Christine ou si – comme on dit communément – Christine m'a trompé avec toi ?

Conrad ne réagissant toujours pas, le général ironise en haussant le ton :

– Mais non, mon ami. Ces deux questions n'ont plus d'intérêt pour moi. D'ailleurs, tu y as déjà répondu. Les années passées m'ont aussi donné une réponse et, à sa façon, Christine elle-même l'a fait. Toi, tu as répondu en prenant la fuite le lendemain de la chasse et en abandonnant ton drapeau – aurait-on dit à l'époque où ces mots avaient encore une valeur. Je ne te poserai donc pas cette question parce que, de toute façon, je suis certain que, ce matin-là, tu as voulu me tuer. Que dis-tu ? demande le général d'un air soupçonneux.

– Je n'ai rien dit, répond Conrad, assis là comme un accusé. C'est toi qui as la parole, moi je t'écoute.

Le général réplique aussitôt :

– Tu as tort de croire que je me dresse en accusateur. J'ai plutôt pitié de toi.

– Je ne l'admets pas, proteste Conrad. Tu n'as aucunement le droit de me prendre en pitié.

– Mais si, rétorque le général. Il doit être atroce le moment où la tentation subjugue un cœur humain et où un homme lève son arme pour tuer son ami. C'est ce qu'il t'est arrivé. Et c'est pour cette raison que j'ai pitié de toi. Oserais-tu le nier ?

Conrad ne répondant pas, le général continue :

– Tu ne te défends pas ?... Tu te tais ? Dans cette pénombre je vois à peine ton visage, mais il n'est guère nécessaire de faire allumer de nouvelles chandelles. Le moment de la vengeance étant arrivé, nous nous reconnaîtrons et nous comprendrons aussi bien dans l'obscurité.

– Explique-toi, lance Conrad sèchement et d'une voix hostile.

– Ce que tu as ressenti ce matin-là, reprend le général, je le sais avec la même précision que si je m'étais trouvé moi-même à ta place. Tu as agi en un moment d'inconscience. Je connais bien ces instants critiques et dangereux. Mais tout cela concernerait l'enquête policière et que ferais-je de la vérité établie par voie judiciaire, d'une vérité qui, preuves à l'appui, m'apprendrait ce que j'ai découvert moi-même avec mon cœur et ma raison ?

– S'il en est ainsi, s'élève la voix de Conrad, que voudrais-tu encore savoir ?

Leurs voix semblent se chercher à la lueur de plus en plus faible des chandelles.

– Que m'importent les secrets d'alcôve d'une garçonnière ? demande la voix du général. A quoi servirait maintenant la révélation du scandale de l'adultère... l'étalage de la vie intime d'une morte et de celle de deux vieillards qui n'ont plus longtemps à vivre ? Quel procédé rebutant et déshonorant ce serait si, à la fin de ma vie, je te demandais raison en justice de ce que les preuves établiraient relativement à cet adultère et à cette tentative de meurtre, surtout à présent où il y aurait prescription pour tout ce qui est arrivé ou aurait pu arriver!... Un procédé pareil serait indigne de toi, de moi et de l'amitié de nos années de jeunesse. Les conclusions de l'enquête, fondées sur les preuves matérielles, te procureraient même éventuellement un certain soulagement. Or moi, je ne veux pas que tu sois soulagé.

— Alors, que veux-tu au juste? demande Conrad.

— Je veux la vérité, répond le général. Et pour moi, la vérité ne consiste pas en données poussiéreuses que la police réunirait à grand-peine. Je ne désire pas non plus dévoiler les secrets, les passions et les égarements d'un corps de femme tombé en poussière. A quoi cela nous servirait-il, à toi et à moi, qui sommes au bord de la tombe? Ce qu'il nous reste à faire désormais, c'est découvrir la vérité et attendre la mort. Moi, dans ce château pour que ma dépouille rejoigne celles de mes aïeux et toi, quelque part au loin... à Londres ou sous les tropiques.

— Puisqu'il en est ainsi, dit Conrad, qu'est-ce qui a encore de l'importance pour nous?

— Ce qui doit avoir de l'importance n'est certes ni l'imposture ni la trahison, dit le général. Que nous importerait de savoir où, quand et combien de fois tu m'as trompé avec ma femme, avec l'unique grand amour et l'espoir de ma vie?... Tu pourrais tout au plus me faire des aveux complets, me préciser comment cela a commencé, quelle jalousie ou envie, quelle crainte ou quelle peine vous a poussés l'un vers l'autre, me dire enfin ce que tu ressentais quand tu la tenais dans tes bras, quels sentiments de haine ou de culpabilité torturaient le cœur et le corps de Christine. Mais à quoi servirait tout cela?

— Tu déraisonnes, dit Conrad d'une voix émue. Si plus rien n'a d'importance, à quoi bon te torturer?

— Je ne me torture pas, dit le général calmement. A la fin, tout devient d'une extrême simplicité... Ce qui naguère comptait pour certains n'aura, en définitive, pas plus d'importance que la poussière et la cendre. Ce qui agitait notre cœur avec une violence insupportable, ce qui nous semblait raison suffisante pour mourir ou tuer aura moins de valeur que fétus de paille emportés par le vent. Quand après ton départ, je suis resté seul avec Christine, j'ai connu, moi aussi, la pire des tentations. Cependant, ne serait-il pas humiliant et stupide de nous arrêter davantage à tout cela? D'ailleurs, étant parfaitement renseigné, comme si j'avais eu en ma possession un rapport de police des plus circonstanciés, je serais aussi apte à faire ton réquisitoire que le serait le ministère public dans un tribunal. Mais que ferais-je ensuite?

– Tu te vengerais! lance Conrad dans la pénombre. Car en réalité, ce que tu cherches c'est la vengeance et non la vérité, conclut-il d'un ton méprisant.

– La vérité serait-elle donc une sorte de vengeance? demande le général. Je me suis bien souvent posé cette question. Exiger la fidélité n'est-ce pas agir en égoïste et en présomptueux? Voulons-nous réellement le bonheur de l'être aimé quand nous lui réclamons sa fidélité? A présent, à la fin de la vie, ma réponse ne serait pas aussi catégorique que celle que j'avais donnée il y a quarante et un ans, lorsque Christine m'a laissé seul dans ton appartement où elle était allée avant moi, souvent, et où tu avais accumulé des splendeurs à seule fin de la recevoir dignement... Oui, là où les deux êtres que je sentais les plus proches de moi m'ont trahi honteusement, vulgairement et – je le pense encore aujourd'hui – sans grande joie et peut-être même avec ennui... Car c'est bien ainsi que les choses se sont passées, dit-il sans passion, presque avec indifférence.

Et il ajoute sur le même ton :

– Tout ce que l'on nomme communément trahison... se révèle sans grand intérêt, lorsque, sur la fin de notre vie, nous récapitulons notre passé. Oui, cela nous apparaît plutôt regrettable, comme un accident quelconque.

– Tu y as mis le temps, dit Conrad, mais pour finir tu l'as compris, toi aussi. Oui, la trahison, en définitive, nous semble chose sans gravité.

– Mais alors, je ne l'avais pas encore compris, reprend le général. Aussi suis-je resté là-bas, dans cet appartement discret, à regarder les meubles, ton divan, comme si j'y apercevais les traces d'un crime... Oui, quand on est jeune et que votre femme vous trompe avec votre seul ami, avec un ami qui vous est plus proche même qu'un frère... alors, on sent le monde chanceler autour de soi. La jalousie, la déception, la vanité blessée causent d'affreuses souffrances. Pourtant, peu à peu le sentiment de révolte, d'abord inévitable, et la douleur s'atténuent ; l'impression de désastre irrémédiable cesse imperceptiblement, mais pour apaiser la colère en nous, il faut des années... Elle passe toutefois, elle aussi, comme passe la vie, dit-il doucement.

Conrad lui répond de même :

– Je ne le crois pas. Ta colère est encore vive...

Et comme le général ne le contredit pas, il ajoute :

– Continue, je t'en prie. En quittant ma maison, es-tu rentré chez toi ?

– Oui, je suis rentré au château. Je suis monté dans ma chambre et j'y ai attendu Christine. Peut-être l'ai-je attendue pour la tuer ou, simplement, pour apprendre d'elle la vérité et lui pardonner. En tout cas, je l'ai attendue jusqu'au soir. Comme elle ne s'est pas présentée, je suis allé dans le pavillon de chasse. Maintenant, lorsque j'y repense et que je tente de porter un jugement sur moi et sur les autres, je comprends l'inanité de mon attente orgueilleuse et de ma retraite. Mais les hommes sont ainsi faits. Leur raison et leur expérience n'arrivent pas à triompher de la conformation fondamentale de leur nature. Tu dois également le savoir à présent.

– C'est sans importance, dit Conrad avec impatience. Tu t'es donc installé dans le pavillon de chasse ?

– Comme je te le disais, reprend le général, je me suis rendu dans ce pavillon que tu connais bien et, durant huit années, je n'ai pas revu Christine.

– C'est incroyable ! dit Conrad la gorge serrée.

– Je ne l'ai revue que morte, lorsque Nini, un matin, m'a fait savoir que je pouvais venir, puisque Christine n'était plus. J'avais appris qu'elle était tombée malade et je savais qu'elle avait été soignée par les meilleurs médecins, qui sont restés au château durant des mois et ont tout essayé pour la sauver. « Nous avons tenté tout ce qui peut être fait, conformément aux connaissances actuelles de la médecine », ont-ils déclaré. Mais ce n'est là que façon de parler des docteurs. Ils se sont bornés en somme à prescrire tel ou tel remède, auquel leur savoir imparfait conseillait d'avoir recours. Durant ces huit années, je recevais chaque soir un rapport sur ce qui s'était passé au château au cours de la journée et cela, même lorsque Christine était encore bien portante et lorsque, plus tard, elle eut décidé de tomber malade et de mourir.

– Décidé ? demanda Conrad nerveusement. Tu ne vas pas me faire croire que l'on prend la décision de tomber malade, voyons !

– Mais si, dit le général avec obstination. Une décision pareille est parfaitement possible. J'en avais déjà l'impression à cette époque-là, mais maintenant, j'en suis absolument certain. Cependant, je ne pouvais pas lui venir en aide, parce qu'entre nous il y avait une énigme, une seule, mais impardonnable. Sa révélation prématurée n'était pas opportune, attendu que personne ne pouvait savoir ce qu'elle cachait. Une chose est pire que n'importe quelle souffrance, c'est la perte de l'estime de soi. Voilà pourquoi j'étais véritablement angoissé à propos de ce secret de Christine, secret qui était aussi le tien et le mien. Quand cette estime de soi, sans laquelle on cesse d'être un homme, est blessée, la plaie en est tellement profonde que la mort elle-même est impuissante à en atténuer la souffrance.

– Ce n'est que vanité, dit Conrad avec mépris, mais sur un ton mal assuré. Tu parles d'estime de soi, mais il s'agit seulement de vanité maladive !

– Crois-tu ? demanda le général avec calme. Bien, j'admets que c'est de la vanité. Il n'en reste pas moins vrai que la principale valeur intrinsèque des hommes est l'estime de soi. C'est pourquoi ce secret m'a angoissé et c'est aussi la raison pour laquelle les hommes qui craignent de la perdre s'accommodent souvent d'une quelconque solution, lâche et méprisable. Tel quittera l'être qu'il aime, tel autre restera sur place, se taira et attendra quelque réponse... comme je l'ai fait.

– C'était lâche! s'écrie Conrad.

– Non, réplique le général, il ne s'agissait pas de lâcheté mais plutôt d'un dernier sursaut de défense, dû à l'instinct de conservation. Je me suis installé au pavillon de chasse et, pendant huit années, j'ai attendu un mot ou un message. Mais Christine n'est pas venue. En voiture le trajet du château au pavillon de chasse dure deux heures. Or, ce trajet de deux heures représentait alors pour moi une distance plus considérable que pour toi de te rendre sous les tropiques.

– Ce que tu as fait était inhumain, s'exclame Conrad comme emporté par une colère irrépressible. Inhumain, entends-tu? Et moi qui n'ai rien su de tout cela!

Le général ne proteste nullement et cherche à s'expliquer :

– Ma nature et mon éducation n'admettaient pas d'autre solution. Elles ont déterminé mon attitude. Tu trouves que ma façon d'agir était inhumaine? En réalité, elle était simplement humaine, désespérément humaine... Si Christine m'avait fait parvenir un message quelconque, j'aurais fait ce qu'elle voulait. Si elle avait désiré que je te rappelle, je me serais mis en route, je t'aurais recherché de par le monde et je t'aurais ramené. Si elle avait exigé ta mort, j'aurais su te retrouver et je t'aurais tué. Si elle avait manifesté l'intention de divorcer, j'aurais accepté de me séparer d'elle. Mais elle ne voulait absolument rien. C'était une femme qui avait de la personnalité... et elle a dû souffrir, elle aussi, des outrages de ceux qu'elle aimait!

– Qui l'a offensée? demande Conrad.

– Plus d'un, répond le général. Un l'a offensée en fuyant son amour, parce qu'il n'était pas disposé à se laisser anéantir par une liaison qui se révélait fatale, et l'autre – bien qu'il connût la vérité – en se confinant dans l'attente et dans le mutisme. Christine avait du caractère. En ces années-là, s'accomplissait aussi en elle et autour d'elle le destin qui nous concernait et dont nous devions, tous les trois, supporter les arrêts.

Conrad l'interrompt :

— En tout cas, rester huit années sans lui adresser la parole, c'était monstrueux !

Sans s'indigner, le général répond :

— Durant huit années, elle ne m'a pas fait demander. Mais entre-temps, pendant que je t'attendais pour élucider tout cela, j'ai appris par Nini que, sur son lit de mort, Christine m'a appelé. C'est moi qu'elle voulait revoir et non pas toi... Je te le dis non pour triompher de toi, mais pas non plus sans une certaine satisfaction. Les dernières paroles de Christine ont été pour moi et cela compte tout de même un peu.

Les lèvres tremblantes, Conrad l'écoute et demande tout à coup :

— L'as-tu vue ?... j'entends sur son lit de mort ? Es-tu allé la voir ?

— Oui, répond le général. Elle n'avait pas cessé d'être belle. La solitude n'avait pas enlaidi ses traits, ni la maladie défait l'harmonie grave et distinguée qui faisait la beauté particulière de ce visage. Mais cela n'est pas ton affaire.

— Comment ? demande Conrad vexé !... Alors pourquoi en parles-tu ? Pourquoi n'aurais-je pas le droit de savoir qu'elle était belle même sur son lit de mort ?

Le général lui répond en martelant ses mots :

— Toi, tu continuais à vivre au loin, tandis que Christine se mourait ici.

— Et toi, rétorque Conrad avec vivacité, tu vivais en homme offensé à proximité d'elle, sans plus jamais lui adresser la parole et elle en est morte.

Le général reprend sur un ton plus indulgent :

— Elle nous a répondu à tous deux comme elle le pouvait. Les morts répondent toujours comme il se doit. Je dirais même que seuls les morts répondent parfaitement et clairement. Après ces huit années, comment Christine pouvait-elle répondre? Que pouvait-elle faire, sinon mourir?

— Il se peut, en effet, que l'on ne puisse répondre qu'en mourant, approuve Conrad mollement. Mais les questions qu'on laisse derrière soi restent posées…

— Avec sa mort, réplique le général vivement, elle a répondu à toutes les questions que toi ou moi aurions pu lui faire, si les circonstances avaient été telles qu'elle eût voulu parler à l'un de nous deux. Parfois, j'ai le sentiment que de nous trois, Christine a été la seule à être vraiment trompée et dupée, et non pas moi qu'elle a trompé avec toi, ni toi qui m'a trompé avec elle… Tu m'excuseras de m'exprimer aussi crûment.

— Au point où nous en sommes, la façon de s'exprimer n'a guère d'importance, dit Conrad sans conviction.

— En effet, admet le général. Imposture, adultère et trahison ne sont plus que des mots vides de sens, lorsque la personne à laquelle ils se rapportent a répondu définitivement par sa mort. Ce qui a infiniment plus d'importance, c'est que Christine est morte tandis que nous avons continué à vivre. Quand je l'ai compris, il était trop tard.

— Tu aurais eu le temps, intervient Conrad d'un ton hostile, mais le général lui coupe la parole:

— Il ne me restait plus qu'à attendre et à préparer ma vengeance. L'attente étant terminée et le moment tant attendu arrivé, il faut que je te dise certaines choses. En rêve ou même tout éveillé, je revois Christine mince et droite, vêtue de blanc, un grand chapeau florentin sur la tête, traversant le parc pour se rendre dans les serres ou pour aller caresser ses chevaux. Je la vois souvent ainsi et cet après-midi encore, en t'attendant, je l'ai vue comme dans un rêve.

— Moi, je n'arrive pas à la voir, dit Conrad. Ni en rêve ni éveillé. Mais j'entends quelquefois sa voix.

— C'est sans doute une illusion. Il est impossible que tu te souviennes de sa voix. Mais moi, comme je te le disais, je l'ai vue encore tantôt. J'ai vu défiler devant mes yeux une quantité de scènes des temps passés et votre infidélité, votre trahison, j'ai fini par me les expliquer logiquement.

– Tu es bien vieux, dit Conrad amicalement. C'est-à-dire, nous sommes bien vieux tous les deux et notre logique ne peut plus servir à grand-chose.

– En effet, nous veillissons tout doucement, dit le général. Tout d'abord, c'est notre joie, de vivre et de voir nos semblables qui s'émousse. Peu à peu, le sens de la réalité prédomine en nous. Nous pénétrons mieux le sens des choses et nous assistons avec ennui à la succession d'événements qui se répètent. Le noter est déjà un signe de vieillesse. Quand nous avons bien compris par exemple qu'une coupe n'est qu'une coupe et que les pauvres humains – quoi qu'ils fassent – ne sont que des créatures éphémères, c'est que nous sommes alors vraiment bien vieux.

– Pourtant, nous ne nous défendons pas mal, commence Conrad d'une voix hésitante.

Mais le général l'arrête d'un geste :

– Ne nous faisons pas d'illusions ! Nous sommes tous deux bien vieux maintenant... Puis, c'est le corps qui se met à vieillir. Pas non plus brusquement... d'abord, c'est notre vue qui baisse, puis c'est notre estomac ou notre cœur... ou, éventuellement nos jambes commencent à se sentir fatiguées. Oui, la vieillesse avance lentement ; elle s'étend peu à peu à notre âme. Elle est encore pleine de désirs nostalgiques et de souvenirs, elle recherche encore la joie. Quand elle renonce aussi à désirer et à espérer, il ne reste plus que les souvenirs et la vanité de toutes choses. Arrivé à cette étape, on est réellement, irrémédiablement vieux. Un matin, on se frotte les yeux pour chasser le sommeil et l'on ne comprend plus pour quelle raison on s'est réveillé. Même l'inattendu, l'étrange et l'épouvantable ne surprennent plus, parce que l'on connaît toutes les probabilités, on avait tout prévu et l'on n'espère plus rien... ni en bien ni en mal... voilà ce qu'est la vraie vieillesse, vois-tu.

– J'espère bien ne pas en arriver là, dit Conrad de mauvaise humeur.

Le général réprime un petit rire et reprend :

– Ne te fais pas trop d'illusions! Cependant, en ce qui nous concerne, des souvenirs sont encore vivants dans notre cœur et notre existence a encore un but. Nous voulons savoir quelque chose et nous sommes convaincus que le moment de savoir arrivera. Et effectivement, ce moment-là se présente un jour, dit-il d'une voix forte et presque menaçante. On voit alors à travers les événements de la vie et l'on découvre les raisons cachées des actions humaines. On comprend aussi le langage muet… car les hommes communiquent leurs pensées essentielles par des signes. Ne l'as-tu pas remarqué?

– Et toi, tu t'imagines pouvoir interpréter et comprendre ce langage par signes? demande Conrad sarcastique.

– Parfaitement. On a l'impression que ce langage exprime des choses importantes en une langue étrangère qui doit être traduite en réalités intelligibles. Les hommes ne savent rien sur eux-mêmes. Ils ne cessent de parler de leurs désirs et cherchent à cacher désespérément leurs pensées intimes. Quand tu auras appris à démêler les mensonges des hommes, tu noteras bien vite que ces derniers disent toujours autre chose que ce qu'ils pensent ou désirent réellement.

De son coin, presque complètement sombre, Conrad l'observe, comme s'il épiait les mouvements d'un adversaire.

Le général se remet à parler avec assurance, certain de n'être plus interrompu :

– La vie devient presque divertissante. Puis, un jour, on est obligé de voir la réalité en face, c'est-à-dire d'admettre que la vieillesse est là et que la mort est proche. Mais alors cette constatation même ne fait plus souffrir. Christine m'aurait trompé? Eh bien! quelle importance cela a-t-il? Elle m'aurait trompé précisément avec toi?… Il serait mesquin de m'en indigner. Tu as beau me regarder avec cet air stupéfait. Ce que j'en dis, c'est parce que tout cela me paraît réellement pitoyable. Je revois mon passé, le cœur rempli de compassion. Je vous vois, toi et ma femme, les rebelles, qui, emportés par une passion arrogante, ont scellé un pacte pour la vie et la mort contre moi, mais qui sont pleins de remords, claquent des dents, font leur *mea culpa* et sont au désespoir. Les pauvres – me disais-je plus d'une fois !

– Tais-toi, dit Conrad, les dents serrées.

Mais le général continue avec un air de satisfaction manifeste :

– Bien souvent, j'ai imaginé, dans leurs moindres détails, vos rencontres dans cette maison isolée, presque en dehors de la petite ville, car, dans le bourg, ces rencontres secrètes auraient été impossibles, les habitants y étaient parqués comme sur un paquebot en une communauté malencontreusement exposée à tous les regards. Votre amour n'avait pas un instant de répit, puisque à chacun de vos pas et regards vous aviez à craindre l'observation soupçonneuse de mes domestiques et des personnes de mon entourage. Toujours, vous étiez à trembler à cause de moi ; toujours des conciliabules secrets pour fixer des rendez-vous d'un quart d'heure, sous prétexte d'une sortie à cheval, d'une partie de tennis, de promenades dans la forêt où mes gardes-chasses et les braconniers étaient continuellement aux aguets... oui, c'était pénible et je me suis imaginé la haine que vous deviez nourrir contre moi. J'espère qu'il ne t'est pas trop désagréable, dit-il en baissant la voix, de m'entendre te dire en toute franchise ce que je pense ?

Il dit cela sans ironie, en maître de maison courtois. Dans son coin sombre Conrad murmure :

– Ne te gêne pas pour moi. Puisque le moment que tu as voulu est arrivé, continue.

– Chaque fois que vous pensiez à moi, reprend le général, cette haine remplissait votre cœur, puisque, en somme, à chaque pas que vous faisiez, vous vous heurtiez à la puissance que je représentais en ma qualité de propriétaire et en raison de ma haute situation sociale. Pour comble, la constatation inévitable du fait que, sans moi, il vous était impossible de vivre convenablement étouffait en vous la voix de l'amour et de la haine.

Le général se lève et d'un pas chancelant s'approche de son hôte, s'arrête devant lui et lui jette au visage :

– Vous étiez capables de me tromper, mais vous ne pouviez vous passer de moi. Qu'importait que je fusse différent de vous? Nous étions liés les uns aux autres d'une façon aussi immuable que les éléments qui se trouvent groupés dans les cristaux selon des formules géométriques. Lorsque, un matin, tu as voulu me tuer, tu as laissé retomber ton bras, parce que tu ne pouvais plus supporter cette haine et cette dissimulation éternelles, ni toute cette misère... Que pouvais-tu faire d'autre? T'enfuir avec Christine? Ceci t'obligeait à donner ta démission de l'armée dans les pires conditions. On aurait pu la considérer comme une désertion, une atteinte à l'honneur... En outre, tu étais sans fortune, Christine n'était pas riche et elle n'aurait rien pu accepter de moi. Donc une fuite avec elle n'était pas dans tes moyens. Il n'était pas non plus possible que tu vécusses avec elle en concubinage. Cela aurait été très dangereux, plus dangereux même que la mort, parce que tu aurais craint sans cesse quelque trahison ou dénonciation qui t'eussent obligé à te battre en duel avec moi, ton ami et ton frère; cela aurait été une solution ridicule. Tu n'aurais pas supporté longtemps ces menaces. Un jour, tu as donc braqué ton fusil contre moi. Plus tard, je t'ai bien souvent pris en pitié pour ce geste.

Le général retourne lentement à son fauteuil, s'y assied et continue :

– Mais tu n'as pas été capable d'accomplir cette tâche. Tu as manqué l'occasion. Parfois, une situation se présente à nous favorablement, mais pour une très courte durée. Le délai passé, on se trouve paralysé et on ne sait plus quelle décision prendre. Toi, tu as laissé retomber ton arme et, le lendemain, tu es parti pour les tropiques. Peut-être suis-je trop sévère dans mon jugement en ce qui concerne ta conduite à cette époque-là. En tout cas, tu es parti pour les tropiques, tandis que Christine et moi, nous sommes restés ici... et peu à peu, tout est devenu clair. J'ai vécu parce que j'ai dû attendre ton retour... et Christine est morte parce qu'elle n'a pas voulu attendre davantage ton retour Elle est morte paisiblement et je suis resté seul.

– Tu connaissais toute la vérité, dit soudain Conrad

– Oui, je savais tout, à l'exception d'une chose pourtant. C'est pourquoi il m'a fallu vivre et continuer à attendre. Maintenant, le moment est venu pour moi d'apprendre la vérité.

Pesant ses paroles, le général dit :

– Il faut que tu répondes à ma question : Christine, le jour de la chasse, savait-elle que tu voulais m'assassiner ?

Il pose cette question avec calme, mais dans sa voix on perçoit une angoisse réelle.

XVIII

ONRAD prend une respiration profonde et se passe la main sur le front. Il est évident qu'il s'apprête à répondre, mais le général ne lui en laisse pas le temps.

– Un instant, dit-il vivement. Excuse-moi, je voulais simplement dire...

Il s'interrompt soudain, comme se rendant compte de la portée exacte de ce qu'il va dire. Puis, après avoir réfléchi un moment, il reprend :

– Je voulais plutôt te rappeler qu'au moment où Christine a appris ta fuite, elle a dit : « C'était un lâche. » Ces paroles ont été les dernières que je lui ai entendues prononcer. Ce fut aussi l'ultime jugement qu'elle porta sur toi. Plus tard, je me suis souvent demandé pourquoi elle t'avait traité de lâche. Estimait-elle que tu étais lâche parce que tu n'avais pas eu le courage de vivre avec elle et moi... ou avec elle sans moi ? Ou bien parce qu'elle ne te croyait pas assez courageux pour affronter la mort ? Mais peut-être te considérait-elle lâche à cause d'une tout autre raison, à cause simplement de ton refus de commettre un crime que la police aurait facilement découvert, crime que vous deux, mon meilleur ami et ma femme, aviez décidé ensemble ? Ce plan avait-il échoué à cause de ta lâcheté ?

Le général continue à parler de façon précipitée, comme réellement troublé et désireux, au dernier moment, de retarder la réponse de son ami.

– Avant de mourir, je voudrais avoir ta réponse sincère à ces questions, dit-il d'une voix émue.

Conrad ne réagissant pas, il continue nerveusement :

– Tout à l'heure je n'ai pas formulé ma question de manière assez précise. Je t'en demande pardon. C'est pour cette raison que je ne t'ai pas laissé répondre, quand tu te préparais à le faire. Si ta réponse est pertinente, je connaîtrai enfin toute la vérité.

Conrad toussote pour s'éclaircir la voix et dit d'un ton ferme :

– Tu as peur et tu n'as pas le courage d'entendre la vérité. C'est donc toi qui es lâche.

Comme soulagé, il redresse le buste et s'appuie dans son fauteuil. Le général lui répond mollement :

– En dehors de toi, il n'y a personne qui puisse m'aider.

Et comme l'autre ne dit rien, il continue sur un ton plaintif :

– Je ne suis pas lâche et je veux ta réponse. Cette réponse exceptée, plus rien n'a d'intérêt pour moi.

Puis se ressaisissant, il ajoute :

– Je ne te demande aucune précision sur la nature de vos rapports et je ne veux être renseigné ni sur le « comment » ni sur le « pourquoi » de ceux-ci. Ce serait là interrogations bien vaines… puisqu'il y a toujours des « parce que » et des « ainsi » pour tout justifier. Pour finir, cela ne vaut réellement pas la peine de chercher à élucider des questions de détail. Mais je crois que je ne t'ai pas dit tout ce qu'il faut que tu saches. Tu ne dois pas ignorer notamment que Christine a déjà répondu…

Conrad sursaute et demande :

– Que racontes-tu là ?

– Oui, elle a répondu et pas seulement avec sa mort, déclare le général. Un jour, bien des années après sa mort, j'ai retrouvé son journal, relié en velours jaune, que j'avais cherché en vain dans son secrétaire la nuit mémorable qui a suivi la chasse. Après la mort de Christine, je me suis réinstallé dans cette demeure car c'est ici que je veux mourir. Pendant ce temps-là, le journal de Christine – ce carnet de confessions et d'aveux impitoyables – poursuivait son existence énigmatique en nous et autour de nous. Je l'ai retrouvé parmi ses affaires. Elle l'avait rangé dans un coffret dans lequel se trouvait aussi un portrait en miniature de sa mère et une fleur fanée, une orchidée que je lui avais donnée jadis. Le ruban bleu entourant son journal avait été cacheté par Christine avec la chevalière de son père. Ce journal, le voici.

Sur ces mots, le général sort le carnet de sa poche et le tend à son ami en disant :

– Voilà ce que Christine nous a légué. Je n'ai pas enlevé le ruban cacheté car je n'avais pas autorisation écrite pour le faire. Christine n'ayant pas donné d'instructions concernant son héritage, je ne pouvais savoir si ses confessions d'outre-tombe étaient destinées à moi ou à toi, dit-il en posant le carnet sur la petite table placée entre eux deux.

Comme pétrifié, Conrad ne fait pas un geste pour le prendre.

– Ce journal contient la vérité, dit le général. C'est-à-dire la réponse exacte à ma question, car Christine ne mentait jamais.

La tête appuyée sur la main, Conrad a les yeux fixés sur le carnet jaune, mais ne le prend toujours pas.

– Ce message de Christine, veux-tu que nous le lisions ensemble ? demande le général.

– Non, je ne le désire pas, répond Conrad.

– Ne le désires-tu pas ou ne l'oses-tu pas ? demande le général d'un air supérieur, comme un chef interrogeant son subalterne.

D'une main qui ne tremble pas, il reprend le carnet et le tend de nouveau à Conrad. Ils se défient du regard un long moment et Conrad finit par dire :

– Je ne répondrai pas à cette question.

– C'est bien ce que je pensais, réplique le général d'un ton satisfait.

Et, d'un mouvement lent, il avance le bras et lance le carnet dans le feu. Les bûches s'enflamment et le feu consume sa proie. Les deux vieillards observent les flammèches qui jettent une vive lueur, fondent la cire et enveloppent le carnet qui brûle en dégageant une âcre fumée. Une main invisible semble feuilleter les pages ivoirines du journal. Tout d'un coup, les caractères de l'écriture de Christine – ces caractères allongés et anguleux, placés par une main tombée en poussière – apparaissent dans les flammes et se tordent avant d'être anéantis à jamais. Le papier lui-même se décompose et tout le carnet se trouve consumé. Au milieu du brasier, il ne reste plus qu'un amas de cendres, luisant comme un morceau de moire foncée.

Les deux amis, les yeux fixés sur le tas de cendres, restent silencieux un bon moment.

Puis le général dit :

– A présent, tu peux répondre à ma question. Désormais, il n'y a plus de témoin pour te contredire. Me diras-tu enfin si Christine savait que tu as voulu me tuer dans la forêt, à l'aube ?

– Maintenant, je ne répondrai pas non plus à cette question, répond Conrad.

– Bien, dit le général, presque avec soulagement.

XIX

DEPUIS un certain temps, la température avait baissé dans la pièce. Ce n'est pas encore le point du jour mais, par la fenêtre à moitié ouverte, l'air frais de la campagne arrive jusqu'à eux. Le général se frotte les mains frileusement.

A cette heure avancée de la nuit, à la faible lueur des chandelles, les deux amis paraissent encore plus vieux. Leur teint jauni et leur visage anguleux font penser à des figures d'anatomie. Conrad lève le bras et regarde l'heure à sa montre-bracelet.

– Je pense que nous nous sommes tout dit, murmure-t-il. Il va être temps que je parte.

– La voiture est à ta disposition, si tu désires te retirer, dit le général avec courtoisie.

Ils se lèvent et s'approchent tous deux du poêle. Le dos voûté, ils étendent leurs mains au-dessus du feu presque éteint. Ils se sentent subitement transis et frissonnent de froid.

– Tu vas retourner à Londres? demande le général.

– Mais oui.

– Penses-tu y rester désormais?

– Certainement et jusqu'à ma mort.

– Je comprends, reprend le général. Ne désires-tu pas passer encore un jour ici? Ne voudrais-tu pas voir quelque chose ou rencontrer quelqu'un? A propos, tu n'as pas vu sa tombe et tu n'as pas non plus revu Nini.

Il parle avec une certaine hésitation, comme s'il ne trouvait pas les mots convenables pour lui dire adieu.

Après un temps de réflexion, l'hôte répond d'un ton calme et cordial :

– Non, je te remercie. Tout bien réfléchi, je ne désire voir rien ni personne. Mais je te prie de saluer Nini de ma part.

– Je n'y manquerai pas, répond le général.

Les deux amis se dirigent alors vers la porte et, le général ayant posé la main sur la clenche, tous deux s'arrêtent. Comme après une soirée mondaine, ils se trouvent l'un en face de l'autre, prêts à prendre congé. Ils jettent un dernier regard autour d'eux, sentant qu'ils n'entreront plus jamais dans cette pièce. Puis, le général fixe son regard sur les candélabres et dit :

– Regarde ! Les chandelles se sont entièrement consumées.

Conrad semble ne l'avoir pas entendu et, sans transition, demande :

– Ne m'as-tu pas annoncé deux questions ? Quelle est donc ta seconde question ?

– La seconde question ? dit le général troublé.

Ils rapprochent leurs têtes et parlent en chuchotant, comme deux vieux compagnons, apeurés par l'ombre de la nuit et qui craindraient des oreilles indiscrètes.

– La seconde question… répète le général à voix basse… Mais tu n'as même pas répondu à la première…

– Je désire connaître néanmoins la seconde question, insiste Conrad.

Le général se concentre et dit doucement :

– Vois-tu… le père de Christine m'a reproché d'avoir survécu à sa fille. Il voulait dire par là que je vivais « malgré » tout ce qui était arrivé. On ne répond pas uniquement par la mort. Celle-ci constitue naturellement la réponse parfaite.. Cependant, on peut aussi répondre en survivant à quelque chose avec obstination, cruauté et sans rémission.

– C'est ainsi que nous avons répondu, dit Conrad. Mais venons-en à ta question…

— Nous deux, nous avons survécu à Christine, poursuit le général. Tu lui as survécu parce que tu es parti et moi, parce que je suis resté ici... que ce fût par lâcheté, aveuglement, sagesse ou désir de vengeance, n'importe! Ce qui compte, c'est que nous lui ayons survécu. A ton avis, avions-nous un motif valable pour cela?

Conrad le regarde avec stupeur :

— Que veux-tu dire? Le fait est que nous lui avons survécu et c'est tout.

— Ne penses-tu pas, demande le général, qu'en définitive nous lui devions une justification posthume? En somme, elle valait davantage et elle était plus humaine que nous deux. Elle nous était supérieure parce qu'en mourant, elle a donné une réponse, tandis que nous sommes restés en vie. Voici les faits et les faits de ce genre sont indiscutables.

Conrad fait un geste de protestation et dit :

— Pourquoi parler de justification? Pose-moi plutôt ta seconde question.

— Celui qui survit, dit le général vivement, commet toujours une sorte de trahison... J'entends lorsqu'on survit à des êtres auxquels on était intimement lié. Christine est morte parce que nous, les deux hommes auxquels elle appartenait, étions ordinaires, altiers, orgueilleux, de caractère indépendant et, en même temps, lâches à un point qu'elle n'a pu supporter. Nous avons pris la fuite devant elle, chacun à sa façon... Nous l'avons trahie en lui survivant ignoblement et en vainqueurs : voilà la vérité! Tu ne devras pas oublier cela à Londres, à ta dernière heure.

— Je ne l'oublierai pas, dit Conrad.

— Dans cette demeure, je l'aurai, moi aussi, présent à l'esprit, dit le général. Certes, dans le code, il n'est pas fait mention de crimes de ce genre. Mais, nous deux, nous savons à quoi nous en tenir, conclut-il sur un ton sec, mais sans élever la voix.

Puis, le regard fixé sur Conrad, il lui demande avec curiosité :

— A quoi cela nous a-t-il servi de lui survivre d'une façon aussi ignoble et superbe?

— A rien, dit Conrad.

Le général sourit, apaisé, et dit :

– Finalement, le monde et l'opinion du monde n'ont pas d'importance. Ce qui est important, c'est ce qu'il reste dans notre cœur.

– Et qu'est-ce qu'il reste ? demande Conrad.

– C'est là justement le sens de ma seconde question, répond le général, sans retirer la main de sur la clenche de la porte. Cette deuxième question, la voici : Qu'avons-nous gagné avec notre intelligence, notre orgueil et notre présomption ? Le vrai sens de notre vie ne résidait-il pas dans la nostalgie inquiète d'une femme qui est morte ?

– Voilà une question bien compliquée, dit Conrad à voix à peine perceptible.

– Certes, s'empresse de dire le général. Je me rends compte qu'il n'est pas aisé d'y répondre. Moi, je n'ai pas su y répondre. Dans ma vie, j'ai vu la paix, j'ai vu la guerre, je t'ai vu lâche et je me suis vu insensé et orgueilleux ; j'ai vu des luttes et des compromissions méprisables. Mais, ce qui constituait la raison profonde de toutes mes actions a été le lien qui me rattachait à l'être qui m'a blessé, oui, c'étaient les liens qui me rattachaient aux deux êtres qui m'ont offensé. Accepter inconditionnellement certains liens, n'est-ce pas notre destinée ? Je voudrais connaître ton opinion à ce sujet ? dit-il à voix basse.

– Tu la connais parfaitement, chuchote Conrad. Alors pourquoi me la demandes-tu ?

Mais le général ne renonce pas à poser ses questions :

– Es-tu aussi d'avis que ce qui donne un sens à notre vie c'est uniquement la passion, qui s'empare un jour de notre corps et, quoi qu'il arrive entre-temps, le brûle jusqu'à la mort ? Crois-tu aussi que notre vie n'aura pas été inutile, si nous avons ressenti, l'un et l'autre, cette passion ? Peut-être la passion ne consiste-t-elle pas à désirer une certaine personne, mais à ressentir, en général, un désir nostalgique ? Voilà le vrai sens de ma seconde question. Sommes nous ridicules si nous pensons, l'un et l'autre, que, malgré tout, la passion s'adresse à une seule personne...

éternellement à quelque énigmatique personne, bien définie, qui peut être bonne ou mauvaise, indifféremment, puisque l'intensité de notre passion ne dépend aucunement de ses actes ni de ses qualités?... Réponds, si tu le peux! dit-il en élevant la voix.

– Pourquoi m'interroger, répète Conrad patiemment, puisque, de toute façon, tu sais qu'il en est ainsi?

Les deux amis se regardent les yeux dans les yeux un bon moment. Le général se sent oppressé et finit par ouvrir la porte.

Dans la cage de l'escalier, on aperçoit des lumières vacillantes et des ombres qui s'esquivent. Les deux vieillards descendent les marches en silence. Des domestiques se précipitent à leur rencontre avec des lanternes, le manteau et le chapeau de Conrad. Devant le portail, les roues de la voiture qui avance font crisser le gravier. Conrad et le général s'inclinent profondément et se serrent la main sans rien dire.

XX

L E général se dirige vers sa chambre à coucher. Au bout du corridor, Nini l'attend.

– Es-tu plus tranquille maintenant ? lui demande-t-elle.

– Oui, répond-il.

Ils avancent, côte à côte. La nourrice fait de petits pas lestes, comme si elle venait de se lever et se hâtait vers son travail matinal. Le général marche posément, en s'appuyant sur sa canne. Ils traversent le long couloir sur les murs duquel sont suspendus les portraits de famille. A l'endroit où se trouvait autrefois le portrait de Christine, le général s'arrête un instant.

– A présent, tu pourras remettre le portrait à sa place, dit-il simplement.

– Bien, acquiesce Nini.

– Cela n'a plus d'importance, reprend le général.

– Tu as raison.

– Bonne nuit, Nini.

– Mais il fait déjà jour, dit la nourrice sur un ton taquin.

Puis elle ajoute aussitôt :

– Bonne nuit.

Elle se hausse sur la pointe des pieds et de sa main minuscule, dont les os sont recouverts d'une peau jaune et ridée, elle trace un signe de croix sur le front du général. Puis, brusquement, elle lui donne un petit baiser sur la joue.

ANDREW MILLER
L'Homme sans douleur
Casanova amoureux
traduits de l'anglais par Hugues Leroy

ROD JONES
Images de la nuit
traduit du l'anglais par Hugues Leroy

ANTONIO SOLER
Les Héros de la frontière
.raduit de l'espagnol par Françoise Rosset

BESNIK MUSTAFAJ
Le Vide
traduit de l'albanais par Elisabeth Chabuel

DERMOT BOLGER
La Musique du père
traduit de l'anglais (Irlande) par Marie-Lise Marlière

ABDELKADER BENALI
Noces à la mer
traduit du néerlandais par Caroline Auchard

MORDECAI RICHLER
Le Monde de Barney
traduit de l'anglais (Canada) par Bernard Cohen

FRANCESCA SANVITALE
Séparations
traduit de l'italien par Françoise Brun

STEVEN MILLHAUSER
Martin Dressler. Le roman d'un rêveur américain
(Prix Pulitzer, 1997)
traduit de l'anglais (États-Unis) par Françoise Cartano
La Vie trop brève d'Edwin Mulhouse,
écrivain américain, 1943-1954,
racontée par Jeffrey Cartwright
Prix Médicis Étranger, 1975
Prix Halpérine-Kaminsky, 1976
traduit de l'anglais (États-Unis) par Didier Coste

*La composition de ce livre a été effectuée
par Charente Photogravure, à Angoulême,
l'impression et le brochage ont été effectués
sur presse Cameron dans les ateliers
de **Bussière Camedan Imprimeries**
à Saint-Amand-Montrond (Cher),
pour les éditions Albin Michel.*

Achevé d'imprimer en octobre 2002.
N° d'édition : 21282. N° d'impression : 025004/1.
Dépôt légal : septembre 1996.
Imprimé en France